Sander Koenen

Hoe word ik een held?

Kinderen interviewen
Kim-Lian van der Meij,
André Kuipers, Chantal Janzen,
Anna Drijver, Ralf Mackenbach,
Loek Beernink, Sacha de Boer,
Jacques Vriens en nog veel
meer helden...

Schrijvenaar

Dit lees je in het heldenboek

'Kinderen zijn veel leuker dan volwassenen'

Met een rode kuif en een grote mond werd **Kim-Lian van der Meij** wereldberoemd in Nederland. Ze presenteerde verschillende kinderprogramma's op televisie. Nu heeft ze zelf kinderen en is ze... Tja, wat is ze eigenlijk? Hoe leert ze de tekst voor een musical uit haar hoofd? En wat was haar grootste blunder op het podium?

Je hebt zoveel verschillende dingen gedaan. Wat is nou eigenlijk je beroep?

“Dat is een goeie vraag. Op sommige formulieren moet je wel eens invullen wat voor werk je doet. Dan denk ik: als ik alles moet opschrijven, past het nooit. Dus schrijf ik op: artiest. Dat ene woord beschrijft wel goed wat ik allemaal doe.”

Je hebt als kind twee keer meegedaan met de Mini Playbackshow. Hoe was dat?

“Het was mijn droom om mee te doen met dat tv-programma. Ik was zes jaar toen ik voor het eerst op tv was. Vijf jaar later mocht ik nog een keer. Alle kinderen konden in het 'winkeltje' van presentator Henny Huisman een kostuum uitzoeken en een pruik. Daarna mocht je playbacken in de schijnwerpers. Het was in een grote tv-studio met veel publiek en camera's. Het voelde heel echt allemaal. Ik stond op te treden midden in mijn eigen droom.”

Je bent vaak bezig met kinderen, waarom eigenlijk?

“Ik vind kinderen heel leuk. Ook toen ik zelf nog geen kinderen had. Bij de *Kids Top 20* heb ik heel veel plezier gehad. Kinderen zijn gewoon veel leuker dan volwassen mensen. Ze zijn veel eerlijker en vrolijker. Ze zeggen gewoon wat ze denken en wat ze voelen. Heel spontaan. Eigenlijk vind ik het jammer dat ik zelf volwassen ben geworden. Ik had dolgraag nog een kind willen zijn.”

Waarom had je vroeger rood haar en nu niet meer?

'Ik stond op te treden midden in mijn eigen droom.'

“Tja, ik ben een beetje rustiger geworden. Toen ik 23 was, begon ik met kinderprogramma's presenteren. Ik dacht dat het leuk was om opvallend haar te hebben. Het paste ook bij mijn imago en de muziek die ik maakte. Nu ben ik dertig jaar en moeder. Dus vind ik het wel leuk om gewoon lang haar te hebben en niet meer van die stekels. Misschien verf ik het ooit wel weer hoor. Maar voorlopig vind ik het wel mooi zo.”

Welk nummer dat je hebt geschreven vind je het leukst?

“*Road to Heaven*. Ik ben verbaasd dat het geen wereldhit is geworden, al zeg ik het zelf. Nee, grapje. Je moet maar eens kijken op YouTube. We hebben de clip opgenomen in Amerika, in de woestijn. Dat vond ik zo gaaf. Het was een soort vakantie met de jongens van mijn band.”

Wat doe je altijd voor je het podium opgaat?

“Ik heb geen ritueel ofzo. Wel doe ik altijd mijn eigen make-up. Alleen voor mijn pruik heb ik hulp nodig. Ik vind het wel fijn, even alleen zijn. Lekker poeder op, oogschaduw, lippenstiftje en parfum. En me ondertussen concentreren op wat ik moet doen. Vijf minuten voor de show sta ik even met de hele groep in een kring. We houden elkaars handen vast en bundelen onze energie. Daarna proberen we het publiek een mooie avond te bezorgen.”

NAAM: Amber Kobus
LEEFTIJD: 10 jaar
WOONPLAATS: Marrum

“Ik wilde Kim-Lian van der Meij graag ontmoeten omdat ze supergoed kan zingen. Mij lijkt dat ook erg leuk. De musical *Legally Blonde* waarin ze speelde vond ik heel mooi. Kim-Lian is gewoon supercool!”

Welke musical vond je het leukst om te doen?

“*Legally Blonde*, zeker weten! Het was m'n grootste rol tot nu toe. Ik heb constant op het podium gestaan. In elke scène, elk liedje moest ik zingen. Dat was een hele uitdaging. Ik vond het leuk om een dom blondje te spelen, dat eigenlijk helemaal niet dom is, maar juist heel slim. Toen de musical stopte ben ik daar wel even verdrietig van geweest.”

‘Ik draag het liefst wijde kleren van mijn vriendje.’

Wat kun je vertellen over je nieuwe musical?

“*Daddy Cool* wordt een heel bijzondere musical, want het is een ‘jukebox musical’. Er zitten allemaal liedjes in van de bekende groep Boney M. Daar is dan een verhaal omheen geschreven over Surinaamse en Nederlandse mensen in Nederland. Twee heel verschillende culturen. Ik speel een blank meisje dat verliefd wordt op een donker jongetje uit Suriname. Maar dat mag eigenlijk niet, want onze moeders hebben ruzie. Het wordt echt een groot spektakel!”

Wat vind je het leukst om te doen aan Daddy Cool?

“Dansen denk ik. We gaan in deze musical namelijk heel anders dansen dan normaal. In veel andere musicals zijn de pasjes een beetje jazz of ballet. Wij gaan echt streetdance, hiphop en urban-achtige dans neerzetten op het toneel. Een beetje zoals *So You Think You Can Dance*, heel spectaculair. Ik kan dat nu nog niet, dus ik moet nog heel hard oefenen.”

Op het toneel en op tv draag je opvallende kleren. Wat draag je thuis het liefst?

“De kleren van mijn vriendje. Ik houd van wijde kleren als ik thuis ben. Als ik werk, heb ik strakke spijkerbroeken aan en strakke jasjes. Maar thuis wil je je gewoon lekker makkelijk voelen, toch? Dus dan trek ik een joggingbroek van hem aan. En een wijd T-shirt en zijn sokken. Dat is ook nog lekker warm...”

Wat is het grappigste dat je ooit hebt meegemaakt op het podium?

“Dat weet ik nog heel goed. Ik speelde in *Kunt U Mij de Weg Naar Hamelen Vertellen, Meneer?* Samen met mijn beste vriendje Danny Rook en Suzan Seegers. Zij viel over een tafellaken heen dat wij vast hadden. Het zag er zo dom uit dat Danny en ik keihard moesten lachen. Zo hard dat ik echt plaste op het toneel. Ik voelde de warme stralen zo langs mijn benen lopen. Het erge was dat ik een prinsessenjurk aanhad. Ik was bang dat de mensen in de zaal het zouden zien. Toen ben ik heel snel stiekem afgegaan om het weg te deppen. Vies verhaal hè?”

Als je niet beroemd zou zijn, wat zou je dan zijn van beroep?

“Ik denk etaleur. Het lijkt me heel leuk om winkeletalages te maken. Ik denk dat ik ook wel gevoel heb voor wat wel past en wat niet. Het liefst zou ik dan de Bijenkorf doen in Amsterdam. Daar kun je echt los gaan en creatief zijn.”

Ben je wel eens van een decorstuk afgevallen?

“Nog niet... Even afkloppen! Ik ben wel eens uit mijn kleding gescheurd. En mijn pruik viel een keer bijna af. Hij hing zo half over mijn hoofd. Achteraf hoorde ik dat niemand in de zaal het had gezien. Gelukkig maar. Behalve het plassen heb ik dus niet heel grote blunders gehad. Gelukkig...”

Naam: Kim-Lian van der Meij
Geboren: 1 oktober 1980
Beroep: artiest

Kim-Lian van der Meij was zes jaar toen ze voor het eerst op televisie in de schijnwerpers stond. Daarna wist ze zeker dat ze in de showbusiness wilde werken. Dansen, zingen, acteren, presenteren; ze kan het allemaal. Kim-Lian werd bij kinderen vooral bekend als presentator van de *Kids Top 20* bij Jetix. Nu speelt ze in grote musicals en geeft ze haar stem aan verschillende karakters in animatiefilms.

Wie is eigenlijk jouw held en waarom?

“Ik heb niet echt een andere artiest als held. Sommige collega’s vind ik heel goed. Daar kijk ik naar en ik probeer van ze te leren. Maar om heel eerlijk te zijn is er voor mij maar één held en dat is God. Want ik geloof in God.”

Heb je tips voor hoe je beroemd kunt worden?

“Ja. Echt beroemd worden heeft voor mij te maken met een vak leren. Dus niet gewoon beroemd worden om het beroemd zijn. Misschien kun je heel goed schilderen of zingen? Dan moet je daar echt voor gaan. Mensen denken vaak dat het heel makkelijk is om beroemd te worden. Dat is dus niet zo. Je moet er echt heel hard voor werken. En er soms ook veel voor opgeven. Als je bijvoorbeeld zes dagen in de week moet repeteren en spelen. Je moet tegen stress kunnen en tegen kritiek. Op tijd naar bed ook! Want als je het laat maakt met je vrienden, dan ben je de volgende dag misschien wel je stem kwijt. En dan kun je niet meer zingen. Als je zo professioneel bezig bent met je vak, dan word je echt wel gezien. Voor je het weet ben je beroemd!”

Ik speel zelf toneel. De tekst leren vind ik lastig. Heb je een truc?

“Het wordt makkelijker als je zelf een klein beetje aan de tekst mag veranderen. Misschien gebruik je sommige woorden niet die wel in je tekst staan. Of andersom. Dan is het handig als je de tekst meer ‘van jou’ mag maken. Dan voelt het natuurlijker. En verder is het net als op school met tafels leren: gewoon hameren, hameren, hameren. Herhalen, herhalen, thuis oefenen, op de wc oefenen, in de douche oefenen, overal oefenen. Op een gegeven moment zit het zo in je hoofd, dan gaat het er niet meer uit.”

Wat vind je het leukst aan acteren?

“Dat ik mensen kan raken. Ik vind het leuk als ik hysterisch of vrolijk mag spelen. En dat mensen daar dan om moeten lachen. Of juist dramatische scènes. Soms hoor je dat de zaal helemaal muisstil wordt. Ik zie dat mensen wel eens een traantje wegpinken. Dan denk ik: goed zo! We hebben de mensen meegenomen in ons verhaal.”

En welke dingen vind je het saaist?

“Het aller-vervelendst vind ik het toeren met de bus. Soms sta je drie uur lang in de file. Het is wel gezellig met collega's. Maar die zie je al zes dagen in de week. Op een gegeven moment heb je alles wel tegen elkaar gezegd.”

Zou je meedoen aan zo'n tv-programma waarbij ze een musicalster zoeken?

“Ik denk het niet. Die programma's zijn meer voor talent dat nog niet ontdekt is. Ik doe al acht jaar musicals. Dan is het misschien een beetje raar als ik nu aan zo'n programma ga meedoen. Ik zou natuurlijk wel gewoon auditie doen voor mijn droomrol. Een van die rollen is bijvoorbeeld prinses Fiona in *Shrek* de musical. Haar zou ik heel graag willen spelen.”

'Ik zou heel graag prinses Fiona willen spelen.'

Wat is het leukste land waar je ooit bent geweest?

“Zuid-Afrika. De mensen daar zijn zo positief en vrolijk. En dat terwijl er best veel mensen ziek of arm zijn. Ze waren aan het zingen en muziek maken en dansen. Zij genoten echt van hun leven, ondanks de ellende. Dat vond ik wel heel bijzonder.”

Je bent 25% Indonesisch. Hoe vaak kom je in dat land?

“Ik ben er de laatste acht jaar niet geweest. Daarvoor heb ik een paar keer familie opgezocht. En ik mocht er optreden. Mijn liedje *Teenage Superstar* was een grote hit in Indonesië. Het is een heel andere wereld dan Nederland. Voor mij waren die reizen een bijzondere ervaring.”

Waar woon je het liefst, in Nederland, Zweden of Indonesië?

“Nederland en Zweden. Ik vind die combinatie heel leuk. We hebben een huis in Zweden, midden in de bossen. Het nadeel van Zweden vind ik de rust. Soms is het zelfs een beetje saai. Hier in Nederland is het juist heel druk. Als ik dat afwissel, ben ik goed in balans.”

Heb je huisdieren?

“We hebben twee honden: Sky en Moon. Ze zijn broer en zus. Sky en Moon zijn heel grote Alaska-Malamutes. Husky’s, zeg maar. Van die sledehonden. Ze kunnen heel goed alleen zijn, want ze hebben hun eigen stukje hondentuin. Laatst hebben we voor mijn dochter Ronja een konijntje gekocht. Die heet Stampertje.”

Je man komt uit Zweden. Hoe goed kun je zelf Zweeds praten?

“Jag kan tala lite Svenska. Een klein beetje dus. Ik versta het wel en kan mezelf verstaanbaar maken. Maar ik ga er geen prijs mee winnen. Ik moet nog een boel leren en studeren.”

Hoe blijf je zo dun?

“Ik weet niet of het blijft, hoor. Maar mijn vader en moeder zijn allebei slank. Dus heb ik die bouw ook. Daar heb ik mazzel mee. Verder werk ik zes dagen per week. En dan sta ik drie uur achter elkaar te dansen en te springen. Dat is echt topsport. Ik hoef nooit naar de sportschool als ik uit mijn werk kom.”

'Astronaut worden was mijn grote droom'

André Kuipers is astronaut. In 2004 was hij elf dagen in de ruimte. Eind 2011 wordt hij opnieuw gelanceerd. Dan voor een missie van een half jaar in het internationale ruimtestation ISS. Heeft een astronaut wel tijd voor familie? Is het eng om naar de ruimte te gaan? Enneehh... hoe ga je daarboven eigenlijk naar de wc?

Waarom wilde je astronaut worden?

“Om drie redenen. Eerst omdat ik het heel spannend vond. Vroeger las ik sciencefictionboekjes over raketten, planeten en buitenaardse wezens. Daarna zag ik foto's en films vanuit de Space Shuttle. Toen dacht ik: dat is mooi! Zo wil ik de aarde ook wel eens zien. Daarna ben ik arts geworden en in de ruimtevaart gaan werken. Ik kon allemaal onderzoeken doen waardoor we meer leren over mensen in de ruimte en op aarde. Zo kon ik de mensheid een beetje helpen. Kortom: ik ben astronaut geworden omdat het spannend, mooi en ook nog nuttig is.”

NAAM: Joost Plugge
LEEFTIJD: 10 jaar
WOONPLAATS: Leiderdorp

“Ik wil zelf ruimtewetenschapper worden. André Kuipers gaat de ruimte weer in. Ik wil hier alles over weten. Hoe word ik ruimtewetenschapper? Hoe is het in een raket? Door het interview wil ik zoveel mogelijk informatie krijgen.”

Hoe lang moet je trainen voor je de ruimte in mag?

“Je moet ongelooflijk veel leren voordat je een missie kan vliegen. Dat is belangrijk, want de ruimte is een gevaarlijke omgeving. Er is geen zuurstof zoals op aarde. En het is er in de zon ontzettend heet en in de schaduw ijzig koud. Je leert hoe een ruimtepak werkt, wat je moet doen als er een lek in het ruimtestation komt, hoe de raket werkt en nog veel meer. Astronauten trainen het meest op de lancering, de koppeling met het ruimtestation en de landing. Dat zijn de gevaarlijkste onderdelen van een missie. Eigenlijk is dat best gek, want

de meeste tijd ben je gewoon aan boord aan het werk. Daar oefen je ook wel op, maar minder. Een heel belangrijk onderdeel van de oefeningen: hoe gebruik je de wc. Je kunt niet zomaar plassen, zoals op aarde. Alles zweeft in de ruimte, dus ook je plas. Het zou een enorme kliederboel worden.
De wc is een soort stofzuiger waar je in plast en poept. Daar is een aparte training voor. Alles bij elkaar ben je zo een paar jaar aan het trainen. Meestal ben ik in Rusland, omdat ik met een Russische raket naar de ruimte ga. Maar ik train ook veel in Amerika, Duitsland, Japan en Canada."

'De ruimte is een gevaarlijke omgeving.'

In 2004 ging je voor het eerst naar de ruimte. Hoe was dat?

"De eerste keer was ik vooral bang dat iemand zou zeggen dat het niet doorging. Astronaut worden was mijn grote droom. Dat wilde ik al heel lang. Gelukkig ging alles volgens plan. Toen ik in de raket zat, dacht ik: zo, nu kan niemand me meer tegenhouden. De lancering was een hoop getril en kabaal. Je wordt steeds harder in je stoel gedrukt als de raket opstijgt. Heel even voel je je drie keer zwaarder dan normaal! Na een paar minuten gaat de kap van de raket eraf. Dan kun je voor het eerst naar buiten kijken en zie je ineens dat het daar pikzwart is. De aarde is een blauwe bol die onder je door draait. Dan besef je het: ik ben op een rare plek... ik ben in de ruimte!"

Wat viel je tegen bij die eerste missie?

“Hoe moe ik in het begin was. Ik had pijn in mijn buik en sliep slecht. Ik voelde me niet helemaal lekker. Dat was voor een deel ruimteziekte. Een soort wagenziekte voor astronauten. Toen dat na een paar dagen over was, voelde ik me kiplekker en wilde ik niet meer weg.”

Hoe is het om te zweven?

“Het is wel even wennen. In het begin wil je je overal aan vasthouden, omdat je bang bent dat je ergens tegenaan botst! Maar als je eenmaal een beetje kunt ontspannen is het juist heel prettig. Dan ben je zo vrij als een vis in het water. Je kan lekker zweven, kopjeduikelen. Dat is heel relaxed. Echt gezond is het niet om lang in de ruimte te zijn. Als je lekker zweeft, maar verder niet beweegt, dan worden je spieren en botten minder sterk. Je zou als een slappe dweil terugkomen op aarde. Daarom moeten astronauten aan boord van het ruimtestation twee uur per dag sporten op een loopband en een fiets. Je moet je goed vastmaken aan die apparaten, anders zet je af en... au!”

Welke persoonlijke spullen mag je als astronaut meenemen?

“Je mag zelf maar heel weinig ‘handbagage’ meenemen: anderhalve kilo! Maar er wordt wel veel voor je naar boven gebracht. Kleding, tandenborstels, eten, drinken en fotocamera’s bijvoorbeeld. In mijn eigen bagage doe ik persoonlijke spulletjes. Foto’s van mijn gezin, boeken die ik leuk vind en een iPod om muziek te luisteren.”

Wat is het meest spectaculaire dat je hebt meegemaakt in de ruimte?

“Dat is de landing. Om precies te zijn: het moment dat je terugkomt door de dampkring. De dampkring is de lucht die rond de aarde hangt en die jij elke dag inademt. Als de ruimtecapsule terugkeert naar de aarde, remt hij af door te 'botsen' met die lucht. Het is een heel spannend moment. Stel je voor dat de remmotor het niet doet... Dan blijf je nog jaren rondjes draaien in de ruimte. Bij de terugkeer ben je eerst nog gewichtloos. Maar als de capsule afremt, word je steeds zwaarder en zwaarder. Wrijf eens heel hard met je hand over je arm. Dan worden je hand en je arm warm, toch? Dat gebeurt ook met een ruimtecapsule die botst tegen de lucht. Hij wordt heel heet, wel 1500 graden Celsius. Daarom zit er een hitteschild op dat beschermt tegen die warmte. Door het raampje van de capsule zie je de lucht roze worden van de hitte. De vonken spatten van het hitteschild af. Heel spectaculair! Ik vind de terugkeer door de dampkring het spannendste moment van de hele ruimtevlucht. Een paar minuten later sta je gelukkig veilig op de grond.”

Wat vind je het lekkerst in de ruimte en mag je ook snoep meenemen?

“Ik vind Russische kwark met nootjes heel lekker. Astronauten mogen zelf kiezen wat ze eten aan boord van het ruimtestation. Op aarde mag je uit allerlei blikjes proeven en het eten een cijfer geven. Nul als je iets niet lekker vindt en tien als je het heel lekker vindt. Die kwark heb ik een negen gegeven. Russische boekweit een nul, want daar zit geen smaak aan. Je mag ook snoep meenemen. Er zijn altijd wel M&M's aan boord. Ik neem zelf nog verschillende soorten drop mee, want dat is echt Nederlands.”

Hoe weet je hoe laat het is in de ruimte?

“Als je van Nederland naar Engeland gaat, zet jij je horloge een uur terug. Daar heb je alle tijd voor. Maar het ISS draait in anderhalf uur een rondje om de aarde. Als je steeds je horloge moet terugdraaien, dan blijf je bezig. Dus hebben we in de ruimtevaart een afspraak gemaakt. Iedereen houdt één tijdzone aan. Dat is die van Engeland: Greenwich Mean Time of GMT. Als ik in de ruimte ben, zie ik op een computerscherm wat ik moet doen. Een schoolrooster, zeg maar. Daar staan allemaal tijden bij in GMT. Ik kan precies zien wanneer ik moet slapen, eten, werken, sporten en wanneer ik vrije tijd heb.”

Moet je in het ruimtestation hard werken?

“Ja. Het is ontzettend duur om iemand naar de ruimte te sturen. En het ruimtestation heeft ook veel gekost. Daarom moet je de spullen die er zijn zoveel mogelijk gebruiken. Astronauten werken negen uur per dag, vooral aan wetenschappelijke experimenten en huishoudelijke taken in het ISS. Maar je kunt niet alleen maar aan het werk zijn. Er is veel tijd om naar de wc te gaan en je klaar te maken voor de nacht. Want als je zweeft duurt dat allemaal iets langer dan hier op aarde.

In het weekend hebben we wat meer vrije tijd. Dan kun je e-mailen of bellen met familie. Of spelletjes doen met gewichtloosheid, zoals gekke salto's maken. Maar ook gewoon een filmpje kijken of een boek lezen. Een ding kan nooit in de ruimte: even de deur uit lopen voor een boswandeling."

NAAM: Thijs Busschots
LEEFTIJD: 12 jaar
WOONPLAATS: Leiden

"Ik vind alles wat met de ruimte te maken heeft heel erg leuk. Ik wil André Kuipers vragen hoe het is om vanuit het heelal naar de aarde te vliegen. En wat hij de mooiste planeet vindt. Die van mij is Io, maar dat is eigenlijk een maan. Ik zou het leuk vinden om verhalen van een echte astronaut zelf te horen. Je komt niet elke dag iemand tegen uit de ruimte.!"

Hoe werkt een urinemachine?

"Dat is een goede vraag. Misschien moet ik eerst nog even uitleggen wat het is? Niet iedereen weet dat namelijk... Spullen naar de ruimte brengen is vreselijk duur. Een kilo bagage lanceren kost zo tien, twintigduizend euro. Reken maar uit wat een volle fles water dan kost. Eigenlijk wil je dus al het water dat daarboven is hergebruiken. En waar zit heel veel water in? In je urine. Een ingewikkeld apparaat kan de vieze stoffen uit je urine halen en filtert het net zo lang totdat er schoon drinkwater overblijft. Dat kan het apparaat ook met vocht dat je uitademt en zweet. Hoe meer we daarboven zuiveren, hoe minder bagage mee hoeft met de volgende raket. En dat scheelt heel veel geld."

Kunnen wij bij je volgende lancering zijn?

“Ik ben bang van niet. De lancering is niet in Amerika of Nederland, maar in Kazachstan op een oude militaire basis. Je kunt niet zomaar een treinkaartje kopen en die basis bezoeken. Daarvoor is hij veel te streng beveiligd. Als je er moet zijn voor je werk, of omdat een astronaut je uitnodigt, ga je er met een speciaal vliegtuig heen. En dat is behoorlijk prijzig, sorry!”

Waar zie je het meest tegenop als je naar de ruimte gaat?

“Dat ik elke dag bij het sporten heel veel zweet en dat er geen douche is. Ik kan een half jaar niet douchen, omdat water in de ruimte zweeft! Wassen doen astronauten alleen met vochtige doekjes. Verder ga ik natuurlijk mijn kinderen en vrouw missen. Maar een half jaar is zo voorbij hoor. Misschien vind ik het daar wel zo leuk, dat ik niet meer terug wil...”

Wat zijn je hobby's?

“Mijn hobby's... Ik verzamel niet echt iets. Vroeger heb ik wel allerlei modellen gebouwd, maar dat is al heel lang geleden. Wat ik heel interessant vind is geschiedenis. Ik lees graag over de mensen die voor ons leefden en wat zij beleefden en bouwden.”

naam: André Kuipers
geboren: 5 oktober 1958
beroep: astronaut

André Kuipers is getrouwd en heeft vier kinderen. In 2004 maakte hij een ruimtevlucht van elf dagen. In 2011 gaat hij voor een half jaar de ruimte in. Vroeger wilde André archeoloog worden en daarna astronaut. Hij houdt van vliegen, duiken, reizen, skiën en geschiedenis. Russische boekweit vindt hij vies, maar verder lust hij bijna alles.

Vind je dat sterrenkunde een verplicht vak moet zijn op school?

“Eigenlijk wel. Ik denk dat het heel belangrijk is dat we beseffen waar we leven in het heelal. De aarde waarop wij wonen is een bol in de grote, lege ruimte. Eigenlijk ook een soort ruimteschip. Daar moeten we heel zuinig op zijn. Er is niet nog zo’n plek als de aarde waar we even naartoe kunnen verhuizen. Dat soort dingen leer je bij sterrenkunde.”

Waar woon je liever: op de aarde of een andere planeet?

“Even denken. Mercurius? Nee, geen lucht en veel te heet. Venus? Daar is het elke dag vijfhonderd graden en er hangen zwavelwolken. Niet echt een plek om je tent op te zetten. Mars dan misschien? Dat is één grote, koude woestijn waar je niet kunt ademen. Verderop zijn de planeten gemaakt van gas, dus daar hebben we het maar niet over. Misschien zijn er planeten bij andere sterren die paradijsjes zijn, maar daar wonen niet de mensen die ik aardig vind. In mijn eentje zou ik me na een tijdje vervelen. Doe mij maar de aarde. Ik denk dat ik hier het meeste thuis ben.”

‘Ik geloof in aliens. Maar ik kan niet bewijzen dat ze bestaan.’

Heb je als ruimtevaarder wel tijd voor je gezin?

“Ik ben heel veel van huis, dus mijn vrouw en kinderen zie ik niet zo vaak. Gelukkig kan ik Skypen. Dan zie ik mijn kinderen op het computerscherm en is het net of ik een beetje thuis ben. Reizen is op zich wel leuk, maar op een gegeven moment heb je het wel gezien. Soms heeft het niet eens zin om mijn koffer uit te pakken als ik thuiskom. Want dan moet ik een paar dagen later alweer op reis. Amerika, Japan, Rusland. Elke keer in het vliegtuig. En steeds heb je te maken met het tijdsverschil. Dat is best vermoeiend. Soms zit ik in de klas om iets te leren en dan val ik bijna in slaap, omdat mijn lichaam denkt dat het midden in de nacht is. Ik denk dat ik straks blij ben als ik in het ruimtestation aankom. Dan blijf ik voor het eerst sinds heel lang een half jaar op dezelfde plek.”

geloof je in ruimte-wezens? en zo ja, hoe denk je dat ze eruit zien?

“Ik geloof in aliens. Maar ik kan niet bewijzen dat ze bestaan. Je moet het zo zien: onze zon is een ster. Een ster met acht planeten, waarvan eentje met leven. We weten al dat rond andere sterren ook planeten draaien. En dat in de ruimte vele duizenden miljarden sterren zijn. Er zijn dus ontzettend veel planeten. Daar zal er vast nog wel eentje tussen zitten waar leven mogelijk is, toch? Hoe het er dan uit ziet, dat weet ik niet. Misschien wel heel raar. Veel gekker dan sommige dieren die we hier op aarde al vreemd vinden.”

NAAM: Thomas Visser
LEEFTIJD: 11 jaar
WOONPLAATS: Bedum

“Ik heb via via een keer antwoord gekregen op vragen die ik had voor André Kuipers. Het lijkt mij supergaaf om hem nu zelf te interviewen!”

Hoe is het om beroemd te zijn?

“Dat is best leuk. Ik word op straat veel herkend. Gelukkig zijn mensen altijd positief en zeggen ze geen nare dingen, zoals dat wel gebeurt bij politici of voetballers. Ik vind het belangrijk om mijn bekendheid te gebruiken voor goede dingen. Daarom ben ik ambassadeur geworden van het Wereld Natuur Fonds.”

Heb je slechte gewoontes?

“Ja, helaas wel. Ik eet teveel zoetigheid. En soms kom ik te laat op afspraken. Dat komt omdat ik dan veel teveel wil doen op een dag. Voor ik het weet is de tijd op en ben ik weer eens te laat.”

Heb je huisdieren?

“Mijn dochter heeft twee goudvissen. We hadden een hamster, maar die is overleden. Ik heb zelf vroeger schildpadden gehad en ratten. Mijn broer had een parkiet. En we hadden katten thuis. Mijn vrouw is allergisch voor katten, dus dat kan nu niet meer. Dat vind ik wel jammer.”

Wat is je advies als ik astronaut wil worden?

“Wat heel belangrijk is om astronaut te worden, is een goede conditie. Je hoeft geen topatleet te zijn, maar wel fit en gezond. Je moet goede cijfers op school halen en een technische of wetenschappelijke studie doen. En je moet met mensen om kunnen gaan. Astronauten gaan de ruimte in. Maar dat kan alleen dankzij een team van duizenden mensen op de grond. En verder? Geduld hebben, doorzettingsvermogen en een beetje geluk. Wie weet, lukt het een van jullie wel om astronaut te worden!”

'Als Lorena gedumpt wordt, moet ik écht huilen'

STUDIO

Ze versierde Nick en Jack en probeerde Sjors te vergiftigen. Lorena Gonzalez is bepaald geen lieverdje in *Goede Tijden, Slechte Tijden*. Gigi Ravelli is dat in het echte leven wel. Daarom vindt ze het zo leuk om de rol van Lorena te spelen. Kan Gigi huilen op commando? Waar kan je haar 's nachts voor wakker maken? En hoe vaak moest de scène met de bevalling van Sjors opnieuw?

Was je als kind al aan het acteren?

“Ja. Toen ik jong was verzon ik allerlei toneelstukjes. Elke zondag riep ik mijn nichtjes bij elkaar en dan gingen we verhaaltjes spelen. Mijn ouders kwamen kijken als het af was. Op een gegeven moment werden ze er helemaal gek van. Ik wilde het liefst elke dag een stukje maken.”

Is er veel in je leven veranderd sinds je bent gaan acteren?

“Eigenlijk niet. De vriendinnetjes die ik had toen ik twaalf jaar was, heb ik nog steeds. Er zijn wel een paar nieuwe bijgekomen, ook van *GTST*. Wat wel verandert is je bekendheid. Ik kan niet meer zomaar de deur uit zonder herkend te worden. Meestal is dat wel leuk hoor. Dan zeggen mensen op straat: Hé Lorena! Terwijl ze mij eigenlijk helemaal niet kennen.”

Naam: Gigi Ravelli
Geboren: 28 juni 1982
Beroep: actrice

Gigi Ravelli werd bekend door haar rol als Lorena in *Goede Tijden, Slechte Tijden*. Maar ze acteerde al toen ze een kleuter was. Ze kan huilen op commando en laat dan haar tranen - en soms snot - de vrije loop. Gigi vindt zichzelf redelijk braaf en bijna altijd vrolijk. Naast *GTST* doet ze ook ander acteerwerk en ze maakt oorbellen met collega-actrice Marly van der Velden (Nina).

Hoe vaak en hoe lang werk je in de week?

“Ik werk bijna elke dag, van maandag tot en met vrijdag. We beginnen 's ochtends om zeven uur. Dan zit je dus heel vroeg in de make-up. 's Avonds om zes uur stoppen we met filmen. Ik zit natuurlijk niet in elke scène. Daarom ben ik vaak om half drie alweer klaar. Andere dagen begin ik om elf uur en ben ik eind van de middag door al mijn scènes heen. In het weekend leer ik mijn teksten. Al met al werk ik dus ongeveer 35 uur per week.”

'Mensen zeggen: Hé, Lorena! Terwijl ze mij niet kennen.'

Vind je dat te lang of valt het wel mee?

“Nee, ik vind het leuk. Soms is het wel pittig. Je moet er altijd zijn, ook als je ziek of koortsig bent. Dan speel je de scène en hup, terug naar de kleedkamer om rust te nemen. Omdat we zo close samenwerken, is het met de cast van *GTST* altijd heel gezellig. Ik krijg er wel een beetje een familiegevoel bij.”

Heb je veel vrije tijd?

“Niet zo heel veel. Dat komt ook omdat ik er nog een bedrijfje bij heb. Samen met Marly van der Velden, Nina in de serie, maak ik oorbellen. Dat weet jij, want je hebt er nu een van ons in! Onze sieradenlijn heet Kuise Meisjes. Het begon met oorbellen voor onszelf. Als we naar een première gingen ofzo. Nu maken we ze ook voor andere mensen, vanuit onze kleedkamer bij *GTST*. Na het werk ga ik soms wat eten met vriendinnetjes. Bij iemand thuis of hamburgers ergens in een cafeetje. Zo zie ik m'n vriendinnen best vaak en dat vind ik heel fijn.”

Kun je nadelen noemen aan acteren?

“Het kan heftig zijn. Lorena werkt zichzelf altijd in de problemen. Dan moet ze huilen. Soms doe ik zo'n scène wel vijf keer opnieuw. Steeds weer in de make-up, zodat het lijkt of ik niet gehuild heb en hup weer huilen. Dat zijn heel pittige scènes. Maar ook heel erg gaaf om te doen. Een ander nadeel is dat iedereen wel een mening heeft. Lorena heeft in de serie een keer geprobeerd Sjors te vergiftigen. Toen ik na die scène op de markt kwam, kwamen mensen heel kwaad op me af. Ze zeiden dat het belachelijk was en dat ik van Sjors af moest blijven. Maar ik ben natuurlijk Gigi, niet Lorena. Dat is heel raar.”

'Ik ben natuurlijk Gigi, niet Lorena. Dat is heel raar.'

Hoe ging je allereerste scène in GTST?

“Dat was zo'n heftige scène. Ik moest Nick verleiden in een heel kort nachtjaponnetje. Het was zeven uur 's ochtends toen we dat opnamen. Ik had nog nooit gezien hoe dat eigenlijk gaat bij de televisie. Dus daar zat ik in mijn sexy jurkje. Drie cameramensen, twee geluidsmensen, een opnameleider... Er stonden zeker twaalf mensen om ons heen. Je kon op tv ook wel zien dat ik erg zenuwachtig was. Ik werd meteen in het diepe gegooid.”

Kun je goed opschieten met al je collega's?

“Ja. En vooral met Marly. Wij delen ook een kleedkamer. Vroeger zat Inge Schrama, die Sjors speelt, ook bij ons. Dat was wel heel grappig. Want Lorena en Sjors vinden elkaar helemaal niet oké in de serie. Maar privé kunnen we goed met elkaar opschieten. Ze is net als ik een beetje gekkig. We halen veel kattenkwaad uit met elkaar en kunnen daar ook vreselijk om lachen.”

In welk huis van al je GTST-collega's zou je willen rondsnuffelen?

“Ik ben wel benieuwd naar het huis van Bartho Braat, Jef dus. Hij is altijd zo'n brombeer. Als hij mijn kleedkamer binnenkomt, zegt-ie altijd: Gigi, wat heb je er weer een zooi van gemaakt. Misschien kan ik hem betrappen op een troepje bij hem thuis. Maar dat zal wel niet... Zijn vrouw ruimt het vast netjes op. En ik wil weten of Bartho een beetje goed kan koken, net als Jef in de serie.”

Wat is je ergste blooper?

“Ik weet niet of ik dat wel moet vertellen... Ik vond het heel erg. Iedereen kan het zien hè, op tv. Het was bij een huilscène. Ik moest toen zo hard huilen dat er allemaal snot uit mijn neus liep. En dat zag je dus ook op beeld. Toen zei ik: nee, deze opname kan écht niet. Dit ziet er zo vies uit! Maar natuurlijk werd het wel uitgezonden. Voor mij voelde het echt als een blooper.”

Wat vind je zo leuk aan je rol als Lorena?

“Dat ze zo anders is dan Gigi. Lorena is natuurlijk een beetje gemeen en snel geïrriteerd. Ik ben altijd heel vrolijk. Natuurlijk ben ik ook wel eens boos of geërgerd. Als ik Lorena speel, dan probeer ik die eigenschappen van mezelf uit te vergroten. Maar de dingen die Lorena heeft gedaan zou ik nooit doen. Dan zou ik al heel lang in de gevangenis zitten!”

'Huilscènes vind ik wel lekker om te doen!'

Kun je huilen op commando?

“Ja, best wel snel. Mensen vragen me dat wel vaker. Of ik dan aan mijn overleden konijn denk ofzo. Maar dat is echt onzin. Op zo'n moment zit je gewoon goed in je karakter. Dan vind ik het zo zielig wat Lorena overkomt. Bijvoorbeeld als ze gedumpt wordt door Jack. Dan moet ik echt huilen. Zulke scènes vind ik wel lekker om te doen!”

NAAM: Sanne van Meerveld
LEEFTIJD: 13 jaar
WOONPLAATS: Oudega

“Gigi Ravelli is mijn grootste held in *GTST*. Ik volg het al vanaf mijn tiende. Als ik een keer niet kon kijken, dan namen we het op. Ik heb een bloemoorbel die Gigi en Marly hebben ontworpen. Interviewen lijkt me heel leuk om te doen! Zeker als het in een boek komt en ik dan mijn eigen verhaal kan lezen!”

GOH LORENA, WAT BENJE EH, MÓÓI IN HET ECHT!

Hoe vaak is de scène van de bevalling van Sjors misgegaan?

“Dat was zo'n ontzettend leuke scène. Lorena deed heel hysterisch. Af en toe zag ik de beelden terug en dacht ik: Gigi, wat ben je toch lelijk. Doe even normaal, je lijkt wel een stripfiguur! De scène stond er na drie keer goed op. Dat is wel ongeveer gemiddeld. Als je zulke beelden terugziet, moet je er even niet aan denken dat 1,6 miljoen mensen dat gaan zien...”

Hoe is het om jezelf terug te zien op tv?

“Ik vind het niet zo heel erg. Als presentatrice was ik het al een beetje gewend. Toen trok ik ook wel eens een raar hoofd. Dat ik later dacht: doe normaal, mens! M'n moeder zei vroeger ook vaak: Kijk niet zo lelijk, joh. Mijn moeder was vroeger ook actrice, maar op het toneel. Toen ze een keer gefilmd werd en het terugzag, vond ze het zo tegenvallen. Toen is ze gestopt. Dat heb ik gelukkig nog niet gehad.”

Wat doe je als je op straat wordt herkend?

“Meestal als mensen met me op de foto willen, doe ik dat gewoon. Vaak zijn de fans heel aardig. Afgelopen zaterdag was ik echt ontzettend moe. Ik had de hele week hard gewerkt en was de avond ervoor uit geweest. Ik had geen make-up op en een capuchontrui aan. Toen ik in de supermarkt bij de broodafdeling kwam, zei het meisje dat daar werkte: Hey, Lorena. Wow, wat ben je mooi in het echt! Terwijl ik er juist heel verrot uitzag. Dat vond ik wel heel leuk. Het heeft mijn dag weer goed gemaakt!”

Noem een eigenschap waardoor je jezelf wel eens in de weg zit.

“Mijn enthousiasme. Ik ben nu bezig met een heel groot schilderij bij mij thuis. Dan weet ik dat ik eigenlijk ook andere dingen moet doen, of teksten moet leren. Maar ik ga er zo in op dat ik de hele avond zit te schilderen. De tijd vliegt voorbij en dan vergeet ik dat andere dingen ook belangrijk zijn.”

‘Een griepje is geen goede reden om thuis te blijven.’

Noem drie dingen waarvoor ik je 's nachts wakker mag maken.

“Goed nieuws. Dus als ik een mooie filmrol kan krijgen ofzo. Eeuuhh... eten. Sushi vind ik heerlijk, maar ook Italiaans en Frans. Eigenlijk vind ik bijna alles lekker, dus voor eten mag je me altijd wakker maken. Vooral voor een zak Croky chips bolognese. Want die vind ik het allerlekkerst! En de laatste... Een massage. Ook heerlijk.”

Als je ziek bent en je moet eigenlijk naar de opnamen, wat doe je dan?

“Gewoon gaan, hoe ziek je ook bent. Behalve natuurlijk als je in het ziekenhuis ligt. Maar of je nou misselijk bent of griep hebt, je moet je scènes doen. Ze kunnen niet zomaar de opnames een paar dagen uitstellen. Heel soms gebeurt het. Als je besmettelijk bent en een zoenscène moet doen ofzo. Dan zou je ook een andere acteur ziek maken. Maar gewoon een griepje is bij *GTST* niet een goede reden om thuis te blijven...”

Wie was vroeger jouw held?

“Ik denk mijn vader. Toen ik echt heel jong was vond ik mijn vader de grootste man ter wereld. Hij is ook best lang. Hij was mijn held totdat we een keer naar het Dolfinarium gingen in Harderwijk. Daar zag ik een orka en toen dacht ik: huh? Die is groter dan m’n vader. Daarna vond ik orka’s heel gaaf.”

Wintersport of Spanje?

“Spanje. Ik heb nog nooit geskied en ben ook nog nooit op wintersport geweest. Als ik vakantie heb, kies ik toch liever voor de zon. Daar word ik zo vrolijk van. Ik vind het heerlijk om te genieten op een terrasje of aan het strand te zitten met een cocktail.”

Discotheek of sportclub?

“Mag het ook een kroeg of een café zijn? Dat vind ik leuker. En een sportclub? Nee. Sporten doe ik best fanatiek, maar dan buiten. Rondjes rennen in het Vondelpark. Honkbal of volleybal lijkt me ook leuk, maar dat doe ik nu niet.”

Beautysalons of kledingwinkels?

“Moeilijk. Ik vind het allebei wel leuk. Lekker naar de schoonheidsspecialiste is heel fijn. Maar kleding shoppen in het centrum van Amsterdam ook. Er zijn zoveel winkels. Doe mij maar de kledingwinkels. Behalve als het heel druk is, dan ga ik liever naar de beautysalon.”

Noem twee dingen die je aan jezelf zou willen veranderen.

“Oh, twee maar? Ik denk dat ik wel wat langer zou willen zijn. En heel veel haar hebben. Mooi lang haar, dat zou ik wel gaaf vinden. Maar vooral lange benen, zoals Marly. Dat vind ik echt prachtig.”

'Ik denk dat ik wel wat langer zou willen zijn. Mooie lange benen, dat vind ik echt prachtig.'

Wat wil je zeker nog doen voordat je doodgaat?

“Een wereldreis maken. Beginnen in Marokko en dan in een konvooi met allemaal jeeps naar Zuid-Afrika rijden. Dat lijkt me een heel mooie reis. Onderweg nog ergens een jungletocht doen. Lekker sportief. En ik zou nog graag een rol spelen in een Amerikaanse film. Daar op een filmset te staan lijkt me heel erg gaaf!”

'Tijdens een optreden gaat alles vanzelf'

Ralf Mackenbach is misschien wel de bekendste scholier van Nederland. Hij zingt, danst, spreekt stemmetjes in voor de tv en speelt in de nieuwe Sinterklaasfilm. Ralf bezorgde Nederland de titel tijdens het *Junior Eurovisiesongfestival* 2009. Hoe vaak mag hij optreden? Komt hij wel aan school toe? En wat zou hij doen met honderd miljoen?

Wanneer begon je met zingen?

“Toen ik een jaar of drie was, denk ik. Ik heb het gewoon altijd al gedaan. Toen ik acht was mocht ik meedoen als Jakopje in *Beauty and the Beast*, een musical. Op dat moment wist ik dat ik misschien wel zanger wilde worden. Ik heb de rol van Jakopje twintig keer gespeeld. Vaker mocht ook niet, want ik was nog heel jong.”

Naam: Sophie Hoogcarspel
Leeftijd: 9 jaar
Woonplaats: Utrecht

“Ik wil Ralf graag interviewen omdat hij leuke muziek maakt, echt mijn stijl. Veel mensen vinden zijn muziek wel leuk, daarom is het goed dat hij in het boek komt. Ik speel zelf trompet en ik wil wel van Ralf weten hoe het is om op het podium te staan.”

‘We deden danswedstrijden terwijl we eigenlijk moesten slapen.’

Hoe vond je het om mee te doen aan het Junior Songfestival?

“Spannend natuurlijk. Het was de eerste keer dat ik echt mijn nummer live mocht doen. Toen ik er eenmaal stond dacht ik vrij snel: dit hebben we al zo vaak gerepeteerd. Het komt vast goed. Na de optredens hebben we heel veel lol gehad met de andere kandidaten, ook ’s avonds. In de gang van het hotel samen Monopoly spelen, of op de kamer een film kijken. Dat was erg gezellig. En we hielden danswedstrijden midden in de gang, terwijl we eigenlijk moesten slapen. Maar dat mag wel een keer, toch?”

Wat was je beste optreden?

“Geen idee. Dat kun je beter aan de mensen vragen die erbij zijn geweest. Veel mensen hebben natuurlijk het *Junior Eurovisiesongfestival* gezien in 2009. Maar ik heb ook in Ahoy gestaan. En voor de tv heb ik een keer met Marco Borsato gezongen. Dat is iets wat je niet zomaar meemaakt. Een hele eer. Ik heb zoveel optredens gehad dat ik niet echt kan zeggen welke de beste was.”

Hoe kwam je op het idee voor Click Clack?

“Ik vond tappen heel erg leuk. Dat is altijd zo geweest. Ik dacht: weet je wat? Ik ga er gewoon eens over zingen. Ik hoop dat veel mensen het net zo leuk vinden als ik. Elke vrijdag en zaterdag ben ik op de Dansacademie, samen met mijn dansers. Dan volg ik taplessen. Op de academie ben ik ook begonnen met tappen. Je krijgt allerlei stijlen, van musical tot ballet. Tap zat er ook bij en dat ben ik toen blijven doen.”

Heb je wel eens geen zin gehad in een optreden?

“Nee. Soms is het wel wat druk. Dan heb ik een paar optredens én PR-activiteiten. Ik ga dan van radiostation naar radiostation. Soms zijn er wel vijf interviews op een dag. Vaak krijg je dezelfde vragen. Als je bij het vijfde interview voor de vijfde keer dezelfde vraag krijgt, dan is het wel eens slikken. Maar meestal is het erg leuk om te doen.”

BLAHAUW!
DAT IS VANDAAG AL 100 x GEVRAAGD!

Naam: Ralf Mackenbach
Geboren: 4 oktober 1995
Beroep: zanger

Ralf werd bekend met de rol van Jakopje in de musical *Beauty and the Beast*. Maar hij brak echt door met *Click Clack*, het winnende liedje op het *Junior Eurovisiesongfestival* in 2009. Gelukkig heeft Ralf geen last van sterallures. Hij blijft heel gewoon Ralf. Een normale jongen met huiswerk, hobby's en... tienduizenden gillende fans die een handtekening willen.

Hoe vaak mag je optreden?

“Dat wisselt. Soms is het vijf keer in een week en dan is het weer eens een maand heel rustig. Ik ben nu vijftien, bijna zestien. Dat betekent dat ik niet altijd mag optreden. Ik heb 24 speelbeurten per jaar. Dus we plannen meerdere optredens op één dag. Dat is het makkelijkst. Als ik straks zestien ben, dan mag ik doen wat ik wil. Dan hoef ik me niet meer aan dat aantal dagen te houden.”

'Optreden doe ik liever 's avonds. Ik ben niet echt een ochtendmens.'

Verdien je veel geld met zingen?

"Tja, het is natuurlijk niet zo dat ik er niets voor betaald krijg. Ik heb het heel druk en heel veel mensen willen een optreden. Als ik overal moet optreden en ook school er nog bij moet doen, dan is het logisch dat ik er wel wat geld voor krijg. Maar wat is veel... Voor jou is het misschien best veel geld. Maar daar let ik niet echt op. Ik vind het vooral heel leuk om te doen, optreden. En ik word er ook niet anders van. Ik blijf gewoon Ralf."

Wordt het optreden soms wel eens teveel?

"Nee, tot nu toe nog niet. Meestal slaap ik een beetje in de auto. Dan gaat het allemaal wel goed. Gelukkig zijn de optredens meestal 's middags en 's avonds, want 's ochtends vroeg ben ik nog niet helemaal wakker. Ik ben niet echt een ochtendmens."

Hoe bereid je optredens voor?

"Ik doe eigenlijk niet veel. Gewoon zitten en wachten tot ik geroepen word. De kleding is meestal al geregeld. De dansers staan ook klaar. Ik ben niet echt zenuwachtig. Maar vlak voordat ik op moet is het toch altijd wel even spannend. En als ik er dan weer sta... dan gaat het allemaal vanzelf. Tijdens het optreden ben ik in een soort roes. Het is allemaal erg leuk en je gaat er gewoon doorheen."

Luister je wel eens naar je eigen muziek?

“Ja. Ik vind het heel belangrijk om ook je eigen muziek goed te beluisteren. Misschien kom je erachter dat kleine dingetjes nog wel beter kunnen. En je kunt horen of je een nummer echt leuk vindt.”

Waar denk je aan als je zingt?

“Aan zingen en het publiek. En aan de danspasjes. Ik leer elke dans mee met mijn dansers. En dan haal ik er sommige stukjes uit, omdat ik natuurlijk ook moet zingen. Anders wordt het te zwaar. Dus ik zing en ik doe daarbij wat ik mee kan doen van de dans. Dat kan elke keer een ander stukje zijn.”

Welke videoclip vind je tot nu toe het best gelukt?

“Ik vond *Secret Girl* wel heel cool. Omdat het een lekker zomers nummer is. Het is ook bij ons in de buurt opgenomen. Het moeilijkst om te organiseren was *Doe De Smoove*, omdat we daar een heleboel dansers voor hadden. Maar het was wel superleuk om op te nemen.”

Naam: Matt Kanters
Leeftijd: 9 jaar
Woonplaats: Boekel

“Ralf kan supergoed dansen en zingen! Ik kan dat ook best goed. Daarom wil ik hem wel honderd vragen stellen.”

Hoe vond je Sterren Dansen op het IJs?

“Te gek. Ik heb een heleboel nieuwe mensen ontmoet. En achter de schermen was het heel gezellig. We moesten wel veel repeteren. Al dat oefenen kostte veel tijd. Of ik het koud heb gehad? Nee hoor, niet echt. Je krijgt een pak aan en dan gaat het wel. Bij de repetities ben ik vaak gevallen. Dus ik heb er flink wat blauwe plekken aan overgehouden.”

Hoe is het om stemmetjes in te spreken voor tv-programma's?

“Hartstikke leuk. Eerst is het even wennen. Voor je ligt een stuk tekst, het script. Dan staat er bijvoorbeeld 'Hoi' bij 1:20 minuten. Onderin het beeld loopt een klok. Als die klok precies op 1:20 minuten staat, moet ik de tekst zeggen. Ik weet niet waarom, maar ik ga dan automatisch wat hoger praten. Ik heb net een film gedaan van *Zack & Cody*. Die wordt op tv uitgezonden. We hebben heel erg gelachen bij de opnames. Want het gaat natuurlijk ook wel eens mis...”

Waarom speel je in de film Sinterklaas en Het Raadsel van 5 December?

“Ik vond het gewoon een leuk idee. Ze vragen elk jaar andere artiesten. Gerard Joling heeft een keer meegedaan bijvoorbeeld. De makers van de film waren een keer naar een optreden gekomen. Daar heb ik ze ontmoet. En toen hebben ze gevraagd of ik mee wilde doen.”

Kom je nog aan school toe?

“Ja hoor. Dat moet ook. School is heel belangrijk. Want ik weet niet wat ik over een jaar of drie kan doen. Misschien is het iets heel anders dan nu, dat weet je nooit. In elk geval is het goed om een opleiding af te maken.”

Wat is je favoriete vakantieland?

“Toen ik een jaar of tien was, zijn we naar Aruba geweest. Dat vind ik een supermooi eiland. Je kunt er duiken. Dan zie je de mooiste riffen en koraal. Ik heb ook een heel grote octopus langs zien zwemmen. Dus Aruba vind ik tot nu toe mijn favoriete vakantieland.”

Wat zou je doen als je net zo rijk was als Dagobert Duck?

"Hetzelfde als Dagobert Duck: een groot pakhuis kopen en zwemmen in mijn geld. En een heel snelle computer kopen. Want gamen vind ik ook heel erg leuk. Misschien zou ik ook nog een Nintento 3DS kopen. Voor onderweg..."

Wanneer heb je iemand voor het eerst echt gezoend?

"Dat weet ik niet meer precies. Ik denk iets meer dan anderhalf jaar geleden. Nee, niet Elly bij Sterren Dansen op het IJs. Dat was een kusje op de wang, hè. Dus dat telt niet, vind ik..."

Hoeveel brieven krijg je?

"Dat ligt eraan. Als ik net iets gedaan heb, of er is een album uit, dan krijg ik ineens heel veel brieven. Mensen schrijven meestal dat ze het leuke muziek vinden. Soms krijg ik geen post en dan ineens tien brieven op een dag. Ik probeer wel terug te schrijven, maar dat lukt niet altijd. Bijvoorbeeld als er geen afzender op de envelop staat. Als je een brief terug wilt hebben, moet je dus je eigen adres opschrijven. En het liefst ook even een postzegel erbij doen. Anders moeten we heel vaak postzegels halen bij het postkantoor..."

Wie is jouw held en waarom?

“Ik vind Michael Jackson en John Legend heel erg goed. Ik luister heel vaak naar muziek van die artiesten. Michael Jackson vind ik cool om z’n muziek, om z’n stijl, om wat-ie doet. Van John Legend vind ik *Ordinary People* het mooiste nummer. Van Michael maakt het me helemaal niks uit. Alles wat die man heeft opgenomen is steengoed.”

Wat is je lievelingseten, lievelingsdier en lievelingskleur?

“Ik lust bijna alles, maar pannenkoeken en pizza vind ik het lekkerst. Mijn lievelingsdier is een hond. Wij hebben thuis een hond. We kregen hem precies in de tijd dat *Idols* voor het eerst op tv kwam. Dus toen hebben we hem Idol genoemd. En mijn lievelingskleur... blauw.”

Wat vond je leuk aan dit interview?

“Dat jullie nog heel jonge interviewers zijn. Maar jullie hebben je wel goed voorbereid. Ingelezen, zoals ze dat noemen. Sommige journalisten doen dat niet. Dan hebben ze gewoon een stapeltje vragen liggen en die gaan ze af.”

'Zoenen als je niet verliefd bent, dat is vreemd'

Loek Beernink speelt al lang niet meer in *Het Huis Anubis*. Toch wordt ze nog vaak op straat aangesproken als Nienke. Loek presenteert nu kinderprogramma's voor Nickelodeon. Maar in de toekomst wil ze toch weer gaan acteren. Wat heeft Loek met Pippi Langkous? Wie zou ze voor één dag willen zijn. En waar schaamt ze zich een beetje voor?

Wie waren vroeger jouw helden?

“Pippi Langkous. Dat is echt een blijvertje. Ze sliep altijd verkeerdom in bed. Met haar voeten op het kussen en haar gezicht onder de dekens. Dat heb ik ook geprobeerd, maar vaak was het veel te warm. Een keer is het gelukt. Toen was ik zo trots! Later werd ik fan van de Spice Girls. Daar had ik echt cd's van en posters. Pippi Langkous is nu nog steeds mijn held. Ik kijk nog wel eens naar haar op dvd.”

Je durft best veel. Waar ben je echt bang voor?

“Ik ben vroeger heel bang geweest voor haaien. Bang dat ze onder m'n bed zaten, of in bad, of in het zwembad. Ik kon er echt van in paniek raken. En waar ik nu bang voor ben is opgesloten worden in een kleine kist ofzo. Er zijn wel mensen die dat doen voor een programma. Maar dat zou ik niet durven.”

NAAM: Romy Schindeler
LEEFTIJD: 13 JAAR
WOONPLAATS: HOOFDDORP

“Ik wil meedoen omdat ik een grote fan ben van Loek en *Het Huis Anubis*. Ik hou van praten en daarom zou ik het ook leuk vinden om met Loek te praten. Ik kijk veel naar de series en films waar ze in heeft gespeeld. Ik heb bijna alles van haar.”

Wat wilde je vroeger worden?

“Wat denk je? Spice Girl natuurlijk. Ik zei ook tegen mijn moeder: mam, ik ga niet naar de middelbare school. Ik word zangeres. Van mijn moeder mocht ik best zangeres worden, maar ik moest eerst mijn school afmaken. Dat heb ik toen maar gedaan.”

‘Het lijkt me leuk om gewoon eens tegen een boompje te plassen!’

Waar heb je echt een hekel aan?

“Aan het moment dat je net de bus mist en het nog regent ook. En dat je toch eigenlijk had gehoopt dat je ‘m zou halen. Dat overkomt me nog wel eens.”

Welke bekende Nederlander zou je voor één dag willen zijn?

“In elk geval een man. Dan kun je gewoon even tegen een boompje plassen! Dat lijkt me zo leuk om een keer mee te maken. Misschien een BNN-presentator. Of Erwin Krol. Ik vind hem heel leuk. En hij kondigt altijd zo grappig het weer aan. Vroeger zat ik met mijn moeder Het Journaal te kijken en dan konden we ons al verheugen op het weer. In het nieuws was vaak ellende in de wereld. Maar daarna kwam Erwin Krol altijd met z’n zonneschijn.”

Waar kunnen wij je 's nachts voor wakker maken?

“Voor een parachutesprong. Ja, zeker weten. Daar heb ik zoveel zin in. Ik heb het nog nooit gedaan. Dus als je me wakker maakt voor een parachutesprong, dan vlieg ik uit bed en ga ik mee. Enneeh, voor een mooie reis mag je me ook wakker maken.”

'Na de show bij *SuperNick* kak ik een beetje in.'

Je hebt toneelles gehad bij Het Huis Anubis. Wat heb je daar geleerd?

“Ik moest heel veel oefenen met Lucien, die Fabian speelt en Iris, Amber in de serie. We moesten elkaar echt een beetje leren kennen. We hebben scènes uit *Anubis* gedaan, maar ook dingen die er niets mee te maken hadden. Bijvoorbeeld: iemand komt in de bushalte naast je zitten en begint je ineens kusjes te geven. Wat doe je dan? We kregen tips en aanwijzingen hoe we dat allemaal konden spelen.”

Wat vond je leuk aan actrice zijn en wat niet leuk?

“Even iemand anders zijn vind ik ontzettend leuk. Nienke in *Anubis* of Afanai in de film *Bloesem* die ik heb gedaan. Soms moet je heel erg verliefd zijn en dan weer heel boos. Dat is gek, maar wel leuk. Wat ik niet leuk vind is wachten. Op de set had ik heel vaak even niets te doen. Dan nam ik een laptop mee en ging ik films kijken. Want ik ben niet zo goed in niks doen. Bij *SuperNick* is dat ook wel eens lastig. Na de show kak ik wel een beetje in.”

Kon je het goed vinden met de andere spelers van Het Huis Anubis?

“Ja. Natuurlijk hadden we ook wel eens ruzie. We kenden elkaar nog maar net. Maar meestal hadden we het heel leuk. En er is ook echt wel een vriendschap gegroeid. Ik ga nog steeds veel om met Iris en Lucien.”

naam: Loek Beernink
geboren: 6 maart 1986
beroep: actrice & presentatrice

Loek Beernink heet eigenlijk Anne-Loek. Maar iedereen kent haar als Loek. Of als Nienke uit de populaire tv-serie *Het Huis Anubis*. Loek presenteert nu kinderprogramma's bij Nickelodeon. Ze durft veel, maar haaien vindt ze eng. Net als dinosaurussen, want die zitten 's nachts in bed achter haar aan. Loek wil misschien naar de Toneelschool om nog beter te leren acteren. En dan het liefst de rol spelen van een supergemene vrouw.

Hoe was het om met Lucien te zoenen?

“Heel gek! Meestal ga je alleen zoenen als je verliefd bent. En dan wil je het ook heel graag. Nu moest ik het spelen, want Lucien en ik zijn gewoon vrienden. Eerst moesten we keihard lachen. Maar later kwamen we goed in onze rol en toen ging het bijna vanzelf.”

Wat vind je het mooiste en moeilijkste moment uit de serie?

“Fabian is doodgegaan in de serie. Dat was natuurlijk heel heftig. Nienke verloor haar beste vriend waar ze ook verliefd op was. De leukste scènes waren met Appie en Amber. Die deden altijd zulke gekke dingen. Ik was wel eens jaloers op ze. Want Nienke was in de serie vrij serieus. Ik wilde ook wel eens rare dingen spelen.”

Wat mis je het ergste aan je Anubis tijd?

“Elke dag acteren. Op dit moment acteer ik niet zo veel. Het setgevoel mis ik wel. Dat je met z’n allen een mooie scène gaat maken. Cameramensen om je heen. Geluidmensen, de regie. En dan proberen het steeds mooier te krijgen.”

Zou je een heel slecht iemand willen spelen?

“Ja, dat wil ik heel graag! Een ontzettende bitch ofzo. Of iemand die het gevaar opzoekt. Dus niet zo lief en onschuldig als Nienke, maar juist iemand die alleen aan zichzelf denkt en gemeen is. In de Zweedse *Millennium* films zit zo iemand: Liesbeth Sallander. Nou, dat is dus mijn droomrol.”

‘Elke dag acteren, dat mis ik wel.’

Wat is je ergste nachtmerrie?

“Een heel gekke. Ken je *Jurassic Park*? Dat is een film over dinosaurussen. Ik droom wel eens dat een dinosaurus uit die film in Amsterdam rondloopt en iedereen opeet. Ik ben altijd voor 'm op de vlucht. Helemaal aan het eind van mijn droom draait hij zijn hoofd om, heel langzaam. Dan ziet-ie me en dan... word ik wakker! Die droom betekent vast iets, denk je niet? Alleen ben ik er nog niet achter wat precies...”

Wil je nog naar de toneelschool of een andere opleiding?

“Grappig dat je dat vraagt. Ik heb er vorige week nog hard over nagedacht. Als ik verder wil als actrice, vind ik dat ik een opleiding moet doen. Misschien ga ik wel auditie doen voor de toneelacademie. Maar zo'n opleiding is meteen vier jaar. En dan kan ik ondertussen niet presenteren bij SuperNick of andere dingen doen. Snap je mijn probleem?”

Wat doe je in je vrije tijd?

“Dan ga ik lekker zingen. Dat vind ik heel erg leuk om te doen. Of ik spreek af met vriendinnen. Lekker sporten vind ik fijn. En ik hou heel erg van lachen. Het is vaak zo serieus allemaal. Dan wil ik graag lol maken. Naar een verkleedfeest gaan ofzo. Lekker overdreven outfit en veel make-up. Dat vind ik leuk.”

Heb je wel eens iets gedaan waar je je voor schaamt?

“Ja hoor. Wel vaker zelfs. Een keer was het echt heel erg. Ik moest Nick & Simon interviewen voor *SuperNick*. Toen zei ik tegen Nick dat er iets heel speciaals bij hem ging gebeuren. Hij vertelde over nieuw behang aan de muur enzo. Maar hij wist best wat ik bedoelde. Na een tijdje schreeuwde ik tegen hem: je wordt vader!! Achteraf schaamde ik me kapot. Waarom heb ik tegen Nick geschreeuwd?”

NAAM: Eline Smidt
LEEFTIJD: 9 jaar
WOONPLAATS: Groningen

“Ik was vanaf de eerste aflevering van *Het Huis Anubis* de aller-allergrootste fan. Ik speel het wel eens na met mijn vriendinnetje. Zij is dan Fabian en ik Nienke, mijn held. Om het nog spannender te maken, maakte ik oude brieven (gewoon wit papier twee dagen in dezelfde thee laten liggen). Ik vind Loek het leukste personage, zij is geweldig!”

Heb je tips voor kinderen die acteur of actrice willen worden?

“Ik zeg altijd: ga lekker in je dorp of in je stad toneelspelen. Dan merk je vanzelf of je het echt leuk vindt. Je kunt allerlei rollen uitproberen en spelen met kinderen van je eigen leeftijd. Veel kinderen willen beroemd worden. Maar beroemd worden om het beroemd worden lijkt me heel saai. Je moet gewoon iets doen dat je leuk vindt!”

Hoe vind je het om een held voor kinderen te zijn?

“Dat vind ik een hele eer. Ik denk wel eens: ik, een held? Laat me niet lachen... Maar toch is het zo. Dat is wel gaaf. Heel soms is het ook lastig. Dan ben ik bijvoorbeeld met mijn verkeerde been uit bed gestapt. Een beetje chagrijnig. Of ik heb in mijn vinger gesneden, zoals vandaag. Kijk maar. Dan loop ik over straat en dan willen mensen vragen stellen of samen op de foto. Maar ik ben helemaal niet in een gezellige bui. Dan wil ik het liefst gewoon even slenteren en niet herkend worden.”

'Van mij hoef je niet te kunnen vliegen om een held te zijn.'

Wat moet je doen of kunnen om een held te worden?

“Voor mij hoef je geen president te zijn of te kunnen vliegen om een held te zijn. Ik vind heel gewone mensen vaak helden. Bijvoorbeeld de mensen die in ziekenhuizen werken. Zij redden levens. Dat vind ik geweldig. Die mensen zijn mijn held. Brandweermannen ook. Of mensen die anderen helpen in arme landen. Dat vind ik de echte helden!”

Vind je koken leuk? En wat is het gerecht dat je 't best kan maken?

“Ja, ik vind koken heel leuk. En het best ben ik in vis. Dat vind ik heel lekker, dus doe ik er m'n best voor. Ik ben lang vegetariër geweest. Maar sinds een paar jaar eet ik weer kip en vis. Mijn zangleraar zei dat ik wel iets meer pit kon gebruiken. Daarvoor heb je bepaalde bouwstoffen nodig. Dus nu ben ik allerlei gerechten aan het uitproberen.”

Hoe vind je het om nu presentatrice te zijn?

“Leuk en gek. Want nu mag ik ineens mezelf zijn en niet Nienke. Ik hoef geen rol meer te spelen. Ineens draait het om Loek. Daarom kan ik me zo schamen als ik tegen Nick schreeuw bijvoorbeeld. Dan denk ik: oh jee, dat ben ik zelf...”

Wie is je favoriete schrijfster en wat is je favoriete boek?

“J.K. Rowling met *Harry Potter en de Geheime Kamer*. Ik heb alle *Harry Potters* wel een paar keer gelezen. Maar deze al zeker vijf keer. Al die leuke grapjes die erin staan. Daar kan ik geen genoeg van krijgen.”

‘Harry Potter, daar kan ik geen genoeg van krijgen.’

Doe je wel eens iets om niet herkend te worden?

“Ja, heel veel hoedjes dragen. Voor de rol van Nienke hoefde ik niet zo heel veel make-up op. Daarom ben ik op straat makkelijk te herkennen. Als ik een keertje met het verkeerde been uit bed ben gestapt, zet ik dus een hoedje op.”

'van verliezen word ik heel fanatiek'

Superbekend word je niet met de turnsport. Dat zegt de succesvolle turnster Yvette Moshage. Toch is ze al vaak op tv geweest en stond ze in de kranten. Vooral tijdens de Europese en Wereldkampioenschappen. Wat is er zo leuk aan turnen? Hoe gaat ze om met blessures? En hoeveel turnpakjes heeft Yvette in haar klerenkast hangen?

Hoe oud was je toen je begon met turnen?

“Ik zat al heel jong op peutergym. Toen ik zes was ben ik begonnen met turnen. Een jaar later deed ik mijn eerste wedstrijdjes binnen de club. En op mijn achtste had ik de eerste landelijke wedstrijden.”

Naam: Maaike Slagers
Leeftijd: 8 jaar
Woonplaats: Enter

“Ik wil heel graag weten hoe ik net zo goed kan worden als Yvette. Vooral ophurken op de brug met ongelijke leggers vind ik erg moeilijk. Heeft zij een foefje om bepaalde oefeningen sneller te leren?”

Wat vind je het leukst aan turnen?

“Dat je steeds nieuwe dingen leert. Je bent eigenlijk nooit klaar met leren. De trainingen zijn heel afwisselend, omdat je vier heel verschillende toestellen hebt. Ik vind vloer het leukst. Daar heb je het gymnastische, de spagaatsprong enzo. En een acrobatisch deel met salto’s en series. Dat zit allemaal in één oefening op je eigen muziek. Je kunt er veel van jezelf instoppen, vind ik.”

Hoeveel train je per week?

“Tien keer, ongeveer dertig uur in totaal. Zaterdag, woensdagmiddag en zondagochtend ben ik vrij. Zondagmiddag train ik 3,5 uur. En de rest van de week train ik ’s ochtends 2,5 uur en ’s middags 3,5 uur. Dat is best veel, maar je groeit er langzaam naartoe. Je gaat natuurlijk niet als je acht bent al dertig uur trainen.”

Hoe ziet een dag voor jou eruit?

“Ik sta ’s ochtends vroeg op en dan brengt mijn vader me naar het station. Om vijf voor zeven pak ik de trein en om half acht ben ik dan in de hal. Dan train ik tot tien voor tien en daarna fiets ik naar school voor vier lesuren. Vanuit school weer fietsen naar de turnhal voor een training van drie tot half zeven. En dan weer met de fiets richting station. Ik ga dus om kwart voor zeven ’s ochtends van huis en ik ben rond kwart voor acht ’s avonds weer thuis. Daar ga ik eten, douchen en even tv kijken. En om negen uur lig ik in bed.”

‘Meestal zit ik op zaterdag gewoon huiswerk te maken.’

Wat doe je met je vriendinnen in het weekend?

“Soms gaan we even de stad in of een bioscoopje pakken. Het komt er niet heel vaak van, want we zien elkaar al veel in de turnhal. Meestal zit ik op zaterdag wat huiswerk te maken en ga ik met mijn familie naar de stad.”

Als ik zeg EK, wat komt er dan in je op?

“Vooral veel publiek. En een goede sfeer in de hal. En dat je tussen heel veel turnsters uit allemaal verschillende landen staat. Het is heel bijzonder als je daar voor Nederland heen mag. Daar moet je ook echt van genieten.”

naam: Yvette Moshage
geboren: 17 juli 1994
beroep: turnster

Yvette Moshage turnt zich helemaal suf. Vroeg in de ochtend, na school en ook nog in het weekend. Dat moet ook op haar niveau. Yvette turnde al op Europese en Wereldkampioenschappen. Nu gaat ze voor een plekje in het Nederlandse team voor de Olympische Spelen van 2012. Op vakantie gaat ze het liefst naar Amerika, want dat is haar favoriete land.

Hoe ga je om met blessures?

“Blessures zijn nooit leuk. Je wilt heel graag turnen, maar het mag niet. Ik probeer de oefeningetjes van de fysiotherapeut zo goed mogelijk te doen. Dan zijn de blessures het snelst weer weg. En blijven oefenen wat wel mag. Als ik geblesseerd ben aan mijn arm, kan ik sommige oefeningen op de balk of vloer wel blijven doen.”

Ik heb zelf een blessure, heb je tips voor mij?

“Je hebt een blessure aan je schouder? Da’s niet fijn! Rust nemen en zorgen dat het goed herstelt. Dat is het eerste. Als je te snel begint kan de pijn elke keer weer terugkomen. Daarna moet je de oefeningen heel rustig opbouwen. Daarvoor moet je wel veel geduld hebben...”

Ik val steeds naar achteren met het ophurken. Heb jij tips zodat ik blijf zitten?

“Je moet vooral goed naar voren blijven kijken. Als je dat doet, gaat je lichaam vanzelf ook iets meer naar voren. Met je hoofd ietsje naar voren leunen helpt ook. En vooral je schouders goed boven de ligger hebben. Soms juist nog iets verder naar voren voor je gevoel. Als jij bang bent dat je naar voren valt, dan zit je meestal precies goed.”

Wat vind je ervan om mijn held te zijn?

“Heel erg leuk. Ik had het niet verwacht. Ik hoorde het toen ik terugkwam van de Europese Kampioenschappen in Berlijn. Dat er twee meisjes waren die zich hadden opgegeven met mij als held. Dat vind ik toch wel een eer.”

Wie is jouw held?

“Ik vind Nastia Liukin heel goed. Zij is een heel sierlijke turnster. En ze is na een blessure aan haar voet goed teruggekomen. Nastia is wat gericht naar de balletkant van het turnen. Dat ziet er mooier uit dan turnen op kracht, vind ik.”

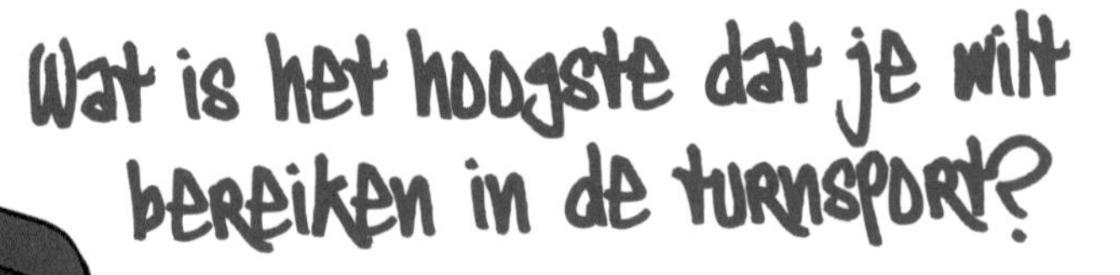

Wat is het hoogste dat je wilt bereiken in de turnsport?

“Het doel voor ons team is de Olympische Spelen in Londen in 2012. Het is nog niet zeker of we erheen kunnen. We moeten ons eerst plaatsen met de Wereldkampioenschappen. Ik hoop dat het team naar de Olympische Spelen kan en dat ik er dan bij ben.”

Wat zou je doen als je tijdens een oefening uit je pakje scheurt?

“Dat ligt eraan. Als het een klein scheurtje is op een plek die je niet goed ziet, dan ga ik gewoon door. En dan na de oefening snel een nieuw pakje aantrekken. Ik heb altijd een extra pakje bij me, voor als ik drinken omgooi ofzo. Ik ga er niet vanuit dat mijn pakje tijdens een brugoefening helemaal doormidden gaat. Het is in elk geval nog nooit gebeurd...”

Hoe bereid je een spannende wedstrijd voor?

“Heel veel trainen op de oefening die ik daar ga doen. Zodat ik er veel vertrouwen in krijg. Richting de wedstrijd ga ik net iets minder trainen. Want dan ben ik fitter tijdens de wedstrijd. Vlak voor de start zeg ik tegen mezelf dat ik het wel kan en dat het wel goed- komt. Dat is ook zo, want ik heb de oefening dan al honderd keer gedaan.”

Train je ook in de vakantie?

“In de schoolvakanties trainen we door. We hebben natuurlijk in de zomer wel vakantie. En met kerst en Oud en Nieuw zijn we vrij. Soms ben ik vrij als mijn klasgenoten naar school moeten. Dat ligt er maar net aan wanneer het goed uitkomt.”

Als je even geen zin hebt in turnen, wat doe je dan?

“Gewoon toch gaan trainen. Ik probeer er het beste van te maken. Vaak lukt dat makkelijk, als ik er eenmaal ben. Dan zie ik iedereen weer en wordt het meestal heel gezellig. Je kunt ook proberen zo goed te turnen dat je er vanzelf weer zin in krijgt. Dat is een goeie truc.”

Wat is het gekste dat je ooit hebt meegemaakt op een toernooi?

“Dat ik de brug zo ongeveer doormidden heb gebroken. Dat was tijdens het EK. Ik viel op de zijkant van de brug. Toen is-ie helemaal verbogen. Ze moesten een nieuwe stok halen voor mij. Dat is op een EK niet vaak gebeurd. De wedstrijd liep een kwartier uit door mij. Da’s toch wel een blunder, vind je niet?”

Wie zou je voor één dag willen zijn?

“Tja… dat vind ik moeilijk. Ik zou wel heel graag naar Amerika willen. Dus dan kies ik iemand die in New York woont. Misschien een goede actrice of filmster ofzo. Dat lijkt me wel leuk om eens mee te maken. *America's Next Top Model* vind ik ook heel leuk om te zien. Die meiden krijgen daar les op de catwalk en worden helemaal opgemaakt. Ik ben twee keer in Amerika geweest. Alles is wat groter dan in Nederland. En je mag er al autorijden als je zestien bent. Dat is ook leuk!”

Hangen er veel turnpakjes in je kast en kies je ze zelf uit?

“Ja, er hangen heel veel turnpakjes in mijn kast. Met de grote wedstrijden, zoals EK's en WK's krijgen we allemaal turnpakjes. Elk teamlid moet namelijk hetzelfde aan. We mogen de pakjes niet zelf uitkiezen, maar ze wel houden na de wedstrijd. Dus bij elk groot toernooi krijg ik er zo weer zes turnpakjes bij. Ik heb er genoeg...”

Wat vind jij van die schandalen met Yuri van Gelder en Verona van der Leur?

“Ik vind het sowieso heel jammer voor de turnsport. Die komt zo negatief in het nieuws. Terwijl het juist heel goed gaat met turnen in Nederland. Kijk maar naar Epke Zonderland die goud en zilver wint. Je zou liever zien dat daar alle aandacht naartoe gaat, toch? Maar ja, journalisten schrijven vaak over dingen die niet goed gaan.”

NAAM: Loes Mombarg
LEEFTIJD: 11 jaar
WOONPLAATS: Groningen

"Ik ben uit de ringen gevallen en heb mijn schouder geblesseerd. Het is al vier maanden zo en ik moet nog wel twee maanden wachten voordat ik weer kan turnen. Ik mis het heel erg. Ik zou het echt super vinden om Yvette te ontmoeten en om over turnen te praten. Zeker omdat ik nu even niet kan turnen."

Mag je zelf weten hoe je haar zit tijdens de wedstrijd?

"Ja, dat mag wel. Als het maar netjes is en een beetje strak. Het moet natuurlijk niet alle kanten op gaan tijdens de oefening. Je mag wel zelf weten of je een staart indoet, of een knotje."

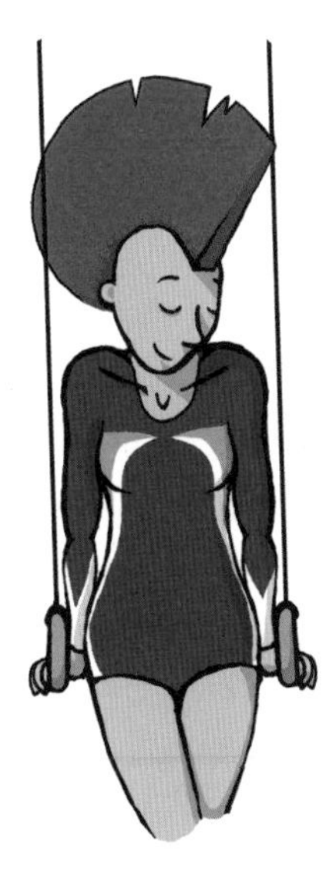

Je kunt niet altijd turnster blijven. Wat wil je daarna gaan doen?

"Ik weet het nog niet helemaal. Wel iets met sport, denk ik. Misschien word ik revalidatiearts. Dan kan ik sporters met een blessure helpen. Het lijkt me leuk om nieuwe technieken en oefeningen te bedenken, zodat die sporters sneller beter zijn. Dat kan ook in de atletiek of een andere sport. Een sportbond op die manier helpen lijkt me erg leuk."

Welke drie dingen mis je het meest als je in het buitenland bent?

“Als er geen internet is, dan zeker weten het internet. Ik kijk toch graag even op Twitter of Hyves of er nog iets gebeurd is. Het tweede is familie en thuis zijn. Normaal kom ik na de trainingen gewoon thuis. Als je op reis bent, zit je in een hotel. Dat is wel gezellig, omdat de rest van de turnsters er ook is. Maar ik mis mijn familie dan wel. En nummer drie is tijd voor mezelf. Op reis moet je altijd gezellig doen. Het is niet zo sociaal als je de hele avond alleen op je kamer zit. En vaak deel je een kamer met iemand anders. Dan heb je maar weinig momenten echt voor jezelf.”

Waar ben je het meest trots op?

“Twee dingen. Dat we met het Jeugd EK in 2008 als team derde zijn geworden. We hebben toen ook landen als Roemenië en Engeland verslagen. En dat ik bij het WK-team zat. Dat was ook heel leuk. Op het WK hebben we het ook heel goed gedaan.”

Hoe ga je om met verlies?

“Het is natuurlijk altijd jammer als je verliest. Ik baal daar ook zeker van. Maar ik raak er niet helemaal van in de put. Er komt altijd wel een nieuwe kans. Je moet gewoon hard werken, zodat je bij het volgende toernooi wel goed presteert. Ik word wel fanatiek van verliezen. Dus ik ga extra hard trainen, zodat ze bij de eerstvolgende wedstrijd niet om me heen kunnen.”

'Als ik verlies, ga ik daarna extra hard trainen.'

'Als profvoetballer eet je niet veel patat'

Stijn Schaars voetbalde jarenlang bij AZ in Alkmaar. Nu speelt hij voor Sporting Lissabon. Zijn carrière zat vol hoogte- en dieptepunten. Van een ernstige blessure tot een plekje in het Nederlands Elftal. Hoe was het voor Stijn om met Louis van Gaal te trainen? Wat is zijn lievelingsclub? En wat vraagt hij voor z'n verjaardag?

Hoe oud was je toen je werd gescout en hoe ging dat?

“Ik was een jaar of negen toen scouts van N.E.C. uit Nijmegen kwamen kijken. Ze vonden me erg goed spelen. Toen vroegen ze of ik wilde komen trainen. Dat heb ik twee jaar lang elke zondag gedaan. Daarna ben ik naar Vitesse gegaan. Daar was een jeugdopleiding waarvoor je opgehaald werd met een busje. En na de training ook weer thuisgebracht. Dan kon ik gewoon thuis slapen, bij mijn familie. Dat was wel fijn.”

NAAM: Jurre Snip
LEEFTIJD: 9 jaar
WOONPLAATS: Detten

“Ik ben heel erg fan van AZ en vind Stijn Schaars de beste speler. Zelf hou ik ook heel erg van voetbal. Ik ben al eens met *Z@PPsport* voetbal bij AZ geweest. Toen heb ik geen spelers gezien. Daarom wil ik Stijn graag interviewen.”

Wat was toen je favoriete club en sterspeler?

“In die tijd was ik toch echt voor Ajax. Die club speelde het beste voetbal. Ze wonnen de Champions League met Louis van Gaal als trainer. Je had toen de broertjes De Boer, Litmanen en Kluivert. Als we op een pleintje gingen voetballen wilde iedereen Litmanen of Kluivert zijn. Ik niet, ik was altijd Ronald de Boer. Hij was mijn favoriete speler.”

Je moest ook naar school. Ging dat goed samen met voetballen?

"Ze hadden bij Vitesse een voetbalschool. Vanaf mijn dertiende werd ik 's ochtends opgehaald en naar school gebracht. Ik ging een paar uur naar school, dan voetballen, dan weer een paar uur school en 's avonds weer voetballen. Ik trainde dus twee keer per dag."

Wat is je mooiste doelpunt ooit?

"In mijn profcarrière heb ik een mooi doelpunt gemaakt bij Vitesse – Utrecht uit. Dat was in de laatste minuut. Ik kreeg de bal op twintig meter. Ik kapte een man uit en schoot 'm met rechts in de kruising. Door dat doelpunt konden we Europees voetbal halen. Het was dus een belangrijke goal."

Wat doe je als je verloren hebt? Ben je boos?

"Negen van de tien keer geeft dat wel een slecht gevoel ja. Dus ik was blij dat we bij AZ veel wonnen. We verloren ook wel eens en dat is niet leuk. Als we als team echt gefaald hebben, word ik wel boos. Maar als het spel goed was en er zat gewoon niet meer in. Tja... dan heeft dat weinig zin, toch?"

Wat doe je op de dag van de wedstrijd?

“Eigenlijk niks. Veel rusten, relaxen, een beetje ontspannen. Ik heb twee kinderen, dus meestal zie ik die nog even. Een beetje in de tuin spelen, als het lekker weer is. Of anders binnen een filmpje kijken. 's Middags nog even slapen en dan 's avonds voetballen. Ik heb ook geen ritueel voor de wedstrijd. Gewoon schoenen aan, sokken aan en lekker gaan voetballen.”

'Ik heb geen ritueel. Gewoon schoenen aan en voetballen!'

Op welke positie speel je het liefst?

“Ik speel het liefst op het middenveld, aan de linkerkant. Dan kan ik mooi het spel verdelen. Ik ben iemand die graag de bal aan de voeten heeft. Van daaruit probeer ik de andere jongens in stelling te brengen.”

Hoeveel paar voetbalschoenen heb je?

“Dat is een moeilijke vraag. Spelers hebben een sponsor voor de voetbalschoenen. In mijn geval is dat Adidas. Die geeft me gewoon schoenen als ik die nodig heb. Ik krijg altijd verschillende soorten. Een met vaste nop en een met pinnen eronder. En dan twee paar van elk, dus vier paar schoenen in totaal. Daar doe ik een maand of drie mee. Dus in een seizoen... even uitrekenen... zestien paar voetbalschoenen!”

NAAM: Stijn Schaars
GEBOREN: 11 januari 1984
BEROEP: voetballer

Stijn Schaars voetbalde voor Vitesse, AZ en inmiddels speelt hij bij Sporting Lissabon in Portugal. Hij zat ook vaak bij de selectie van het Nederlands Elftal. Stijn kan wel trucjes met de bal, maar hij gaat liever voor een goed gemikte pass. Zodat een van zijn teamgenoten een doelpunt kan maken. Als Stijn niet voetbalt, is hij bij zijn gezin of voor de tv. *All Stars* is een van zijn favoriete series.

Wat is je favoriete buitenlandse team en speler?

'Barcelona is de best voetballende ploeg ooit.'

"Op dit moment is dat Barcelona. Dat is de best voetballende ploeg ooit. Niet alleen nu, maar ook in het verleden. En de beste speler is Lionel Messi. Hoe moet ik dat uitleggen? Messi kan dingen met een bal die niemand anders kan. Hij is gewoon de allerbeste. Het zit niet eens in de trucjes. Bij hem lijkt het allemaal veel makkelijker te gaan dan bij andere voetballers. Dat is zijn kwaliteit. Hij is technisch perfect, echt supersnel. En hij scoort altijd. Hij heeft dit seizoen al meer dan vijftig goals gemaakt."

Welke hobby's heb je?

“Ik ben echt helemaal gek van sporten. Voetbal is nummer één, maar tennis vind ik ook leuk. Dat doe ik veel in de zomer. Ik hou ook wel van televisiekijken. Of een filmpje. En natuurlijk tijd met mijn gezin doorbrengen. Ik ga vaak fietsen, zwemmen of naar de speeltuin met mijn zoontjes. Gewoon veel leuke dingen doen.”

Welke drie dingen zou je meenemen naar een onbewoond eiland?

“Even denken. Mijn gezin natuurlijk. Eeuuhhh… een voetbal. En heel veel eten.”

Zijn er dingen die je niet mag eten en drinken als je profvoetballer bent?

“Nee, maar je moet wel opletten wat je eet. Kijk, je mag best wel een keer een frietje eten en een frikadel. Je traint zoveel, dat merk je niet. Maar je moet niet drie of vier keer in de week vet eten. Want dat gaat tegen je werken. Als voetballer moet je presteren. Dus eet je meestal pasta en salades. Je drinkt gezond, dus water, of sapjes. Niet teveel cola en sinas, want daar zit veel suiker in. Als je heel veel vetten en suikers eet, dan word je dikker en dus ook langzamer. Dat doe je niet, als profvoetballer.”

Wat vind je het leukste aan voetbal en wat het saaist?

“Het leukst zijn de wedstrijden. Bij de wedstrijden gaat het om 'het echie'. Dan moet je als team presteren en proberen om zo hoog mogelijk te eindigen. Het saaist zijn de warming-ups bij de training. Tien minuten warmlopen voor de training, dat soort dingen. Allemaal onzin. Voetballers willen niet lopen zonder bal. Ze willen voetballen.”

Wat wil je nog bereiken?

“Ik ben wel ambitieus, maar ik heb ook al een groot dieptepunt meegemaakt. Daar ben ik van teruggekomen. Ik ben bijna twee jaar geblesseerd geweest. Toen was het maar de vraag of ik ooit nog zou voetballen... Ik ben naar Amerika geweest voor de behandeling. Ze hebben bot uit mijn heup gehaald en dat in mijn enkel gezet. Daarna heb ik twaalf weken in een spalk in bed gelegen. Met mijn been omhoog. Je moet heel veel geduld hebben en vertrouwen in jezelf. Dat is belangrijk: je moet altijd in jezelf blijven geloven. Ik ben teruggekomen in de profvoetballerij en daar ben ik heel blij mee. Nu mag ik ook nog in het buitenland spelen. Dat wilde ik heel graag.”

Hoe is het om met Oranje te spelen?

“Dat is het toetje natuurlijk. Iedereen wil voor het Nederlands Elftal spelen. Dat is je land, het hoogste niveau. Alleen spelers met ontiegelijk veel kwaliteit mogen in Oranje. Dus als je daarbij zit, dan is dat wel heel mooi!”

Wat is je lievelingseten en welk eten vind je niet lekker?

“Ik hou heel erg van stamppot. Boerenkool, zuurkool met worst; dat vind ik lekker. Maar ik hou ook van lasagne. Dus ik ben wel iemand die graag uit eten gaat. Meestal bestel ik iets geks dat ik niet ken. Wat ik niet zo lekker vind is vis die heel erg naar vis smaakt, zoals zalm.”

‘Mijn beste truc is een goocheltruc.’

Ga je altijd vroeg naar bed?

“Nee. Ik ben niet iemand die heel vroeg naar bed gaat. Maar ik heb wel een vast patroon. Dat is belangrijk. Ik ga meestal tussen elf en twaalf uur naar bed. En dan sta ik rond zeven uur, half acht op om de kinderen te roepen. Met zo'n ritme slaap je beter en dan ben je ook fitter.”

Wat vraag je voor je verjaardag?

“Ik vraag altijd gezelligheid. Ik vind het leuk als er allemaal mensen op visite komen. Toen ik klein was wilde ik ook altijd cadeautjes. Het liefst zoveel mogelijk. Maar dat heb ik nu niet meer zo. Ik heb al heel veel spullen. Bij mijn verjaardag gaat het om gezelligheid. En een taartje eten natuurlijk.”

Welke tv-series vind je leuk?

“We reizen veel, dus ik heb wel wat series op dvd. *All Stars* vind ik heel leuk. Daar heb ik een dvd-box van. En mijn vriendin kijkt altijd *Goede Tijden, Slechte Tijden*. Al tien jaar ofzo. Meestal zit ik naast haar, dus dan kijk ik gewoon mee. Ik weet dus best veel van *GTST*.”

Wat is je beste truc?

“Dat is een goocheltruc. Dan pak ik een hoed en daar haal ik zo een konijn uit. Nee, grapje... Mijn beste truc? Ik ben niet echt van de trucjes. Mijn basistechniek is erg goed. Dus aannemen en passen, daarmee ben ik bijna nooit in de problemen. Dat is mijn kwaliteit.”

'Talent heb je, of dat heb je niet. Daar doe je niets aan.'

Maar tegen VVV Venlo zag ik dat je een mooie truc deed...

“Ah, jij hebt goed opgelet! Ik weet al wat je bedoelt. Ik ging met de bal van mijn ene ben naar mijn andere been. En daarna haalde ik hem nog eens achter mijn standbeen langs, hè? Toen noemde iedereen mij Zidane. Ja, soms lukt dat... Maar meestal speel ik in wedstrijden heel zakelijk. Ik geef een goede pass naar een medespeler, zodat die kan scoren. Daarmee win je wedstrijden, niet met trucjes.”

Heb je tips voor jonge voetballers die het willen schoppen tot het Nederlands Elftal?

“Ik vind het vooral belangrijk dat je plezier hebt in het voetballen. Misschien wil jij wel elke dag voetballen? En kun je niet van de bal afblijven? Dan maak je een kans. Als je talent hebt, tenminste. Want daar kun je niet zoveel aan doen. Dat heb je, of dat heb je niet. Als je talent hebt en veel plezier in het voetballen, dan gaat de rest vanzelf. Dan maak je een kans om een goede voetballer te worden. En wie weet schop je het wel tot het Nederlands Elftal.”

Hoe is het om veel geïnterviewd te worden door journalisten?

“Daar leer je mee omgaan. Mijn eerste interview was toen ik een jaar of zeventien was. Het was nog bij Vitesse. Als ik dat terugzie... Wat was ik toen nog een broekie! Ik stond een beetje te stotteren en te bibberen voor de camera. Nu heb ik het zo vaak gedaan. En ik ben iemand die wel makkelijk praat. Dus journalisten willen mij graag interviewen.”

Hoe was het om met Louis van Gaal te trainen?

“Dat is een goeie vraag! Louis is een heel interessante man om mee te werken. Waarom? Hij heeft veel verstand van het spelletje. Dat is leuk. Hij kan heel goed samenwerken. Zijn spelers zijn voor hem het allerbelangrijkst. Hij heeft dus veel verstand van voetbal en hij zorgt voor een goede teamsfeer. Dat maakt trainen met Louis zo mooi.”

'Held zijn is soms gewoon keihard werken'

Chantal Janzen is elke week op tv. En dan speelt ze ook nog in musicals. *Petticoat* werd speciaal voor haar geschreven en was een groot succes. Nu gaat ze verder met *Wicked*. Wat kan Chantal vertellen over de musicalwereld? Wie zijn haar helden? En welke tips heeft ze voor jong musicaltalent?

Wat is het grootste musicalgeheim?

“Dat is de magie die je alleen ziet op het podium. Veel mensen die een rondleiding achter de schermen krijgen raken een beetje teleurgesteld. Van dichtbij ziet alles er wat simpeler uit. Bij kostuums hangen draadjes los, of ze glimmen niet zo mooi. Bij decorstukken kun je duidelijk zien hoe ze in elkaar zitten. En dat ze van karton zijn bijvoorbeeld. De magie van een voorstelling valt een beetje weg als je een 'backstage' tour krijgt.”

'Soms sta ik één minuut voordat ik op moet nog met m'n moeder te bellen.'

Wat doe je vlak voor de voorstelling?

“Soms sta ik één minuut voordat ik op moet nog met m'n moeder te bellen. Veel mensen vinden dat vreemd. In het begin doe je dat natuurlijk niet. Maar als je de show eenmaal onder de knie hebt, dan weet je precies wat je moet doen. Zodra je één stap op het toneel zet, ben je een heel ander persoon. Zo schakel je ook weer terug naar jezelf als je in de coulissen verdwijnt.”

Wat gebeurt er als je een tegenspeler niet zo aardig vindt?

“Dat vind ik moeilijk. Ik kan er niet goed tegen, want normaal kan ik met iedereen goed overweg. Als er iets tussen ons in staat, dan praat ik het uit. Daarna is het dan ook weg. Je moet elkaar gewoon echt goed leren kennen. Hoe zit jij in elkaar en hoe werk ik? Gelukkig komt het niet vaak voor dat we elkaar niet mogen.”

En als een tegenspeler een beetje stinkt?

“Nou, dat is best vervelend. Dat komt wel eens voor. Gelukkig heeft mijn tegenspeler dat niet. Als het gebeurt zeg ik niet zo snel: tjonge, wat stink jij uit je mond! Mannelijke collega's zeggen dat toch sneller. Het gebeurt niet vaak. Als het zo is, dan heeft die persoon het zelf ook wel snel door, denk ik.”

Ben je het altijd eens met de kleding die je aan moet?

“Bij Petticoat wel. Want de kleding hier vind ik zo leuk. En degene die de kleding heeft gemaakt kent me ook goed. Die weet wat me wel en niet staat. Als het in een andere musical niet zo is, dan heb ik gewoon pech gehad. Want die kleding hoort nu eenmaal bij dat stuk. Je moet ook niet denken dat je zelf op het podium staat. Je moet altijd denken aan je karakter. In dit geval is het Pattie uit Winschoten. En die vindt de kleren mooi.”

Wat is het mooiste nummer dat je zingt in Petticoat?

“Dat zijn er twee. Eén is een liedje over mijn moeder die er niet meer is. In dat liedje zit heel veel emotie. Als ik het zing, verplaats ik me in hoe dat zou zijn. Het lijkt me verschrikkelijk moeilijk. En het nummer *Tegenwind* vind ik erg mooi. Tijdens dat nummer ontdek ik ineens dat alles eigenlijk tegenzit. In dat liedje kan ik wat woede kwijt. Alsof ik het even van me af kan schreeuwen.”

Wat vind je ervan dat Petticoat speciaal voor jou geschreven is?

“Dat is heel erg leuk, maar ook pittig. Het brengt veel druk met zich mee. Ik zie het als een groot cadeau dat ik heb gekregen. Een cadeau dat bijna té groot is. Kan ik dat wel aannemen, heb ik me afgevraagd. Dat vond ik lastig, maar uiteindelijk toch ook heel erg leuk. Echt een eer.”

Wat kunnen we verwachten van je nieuwe musical Wicked?

“Het is echt een spektakel. *Wicked* is... een sprookje voor volwassenen. Er is veel pracht en praal qua decors en kostuums en muziek. Alles is bombastisch en groot. *Wicked* gaat over een vriendschap tussen een groene heks en een blonde heks. Iedereen denkt dat de groene heks slecht is en de blonde goed.

Maar niets is wat het lijkt! Ik moet zelf bij dat verhaal altijd denken aan de middelbare school. Als je daar voor het eerst komt, ontmoet je allemaal nieuwe mensen. Eerst denk je: die zal wel stom zijn. En zij is gek, want ze praat raar. Dan wil je die mensen eigenlijk niet leren kennen. Zo ontstaan allemaal verschillende groepjes. In deze musical speelt hetzelfde. Als je voorbij de buitenkant kijkt en elkaar echt leert kennen... dan kun je vrienden worden.”

'Mijn zoontje vindt het totaal niet interessant als ik op tv ben.'

NAAM: Chantal Janzen
GEBOREN: 15 februari 1979
BEROEP: Presentatrice en actrice

Chantal Janzen is superbekend van tv en toneel. Ze presenteerde op televisie onder meer *Idols III* en *De Jongens Tegen de Meisjes*. En ze speelde in heel veel series en films. Op de planken stond ze onder meer met *Kunt U Mij de Weg Naar Hamelen Vertellen, Meneer?*, *Beauty and the Beast*, *Tarzan* en *Petticoat*. Ze kreeg al vaak de slappe lach en viel wel eens lelijk op het podium. Maar Chantal uit Tegelen, die krijg je er niet zomaar onder...

Wat is je grootste blunder in musicalland?

"Nou, ik heb er wel een paar gehad! De slappe lach is altijd vreselijk. Als je er echt niet meer uit komt vind ik dat wel een blunder. Ik ben ook heel vaak gevallen. Dat je heel lelijk valt en stom terechtkomt. En ik had een keertje dat ik in mijn kleedkamer zat en dacht: oh ja, dit is het muziekje dat ik altijd hoor als ik op ga. Oh nee, ik moet nu op! Of dat je net naar de wc bent geweest en je broek zit nog niet goed. En dat je dan op het toneel bijna in je blote kont staat. Dat is ook wel lullig..."

Snapt je zoontje James wat voor werk je doet?

“Hij vindt het totaal niet interessant als ik op tv ben. Hij denkt volgens mij dat alle mamma’s op tv komen. Dus daar kijkt hij niet van op. Dan zegt-ie: Hey, mamma! En daarna gaan we weer verder met spelen. Als hij komt kijken in het theater, snapt hij het wel heel goed. Dat hij niet ineens uit de coulissen het podium mag oprennen ofzo. Oh ja, en een klein nadeel: hij vindt de muziek van *Petticoat* heel leuk. In één weekend speel ik vier shows. Als ik dan maandag vrij ben, wil James dansen op Petticoatmuziek. Daar zit ik niet altijd op te wachten. Maar ja, dan gaan we samen wel even dansen, natuurlijk.”

NAAM: Bram Hugen
LEEFTIJD: 12 jaar
WOONPLAATS: Soest

“Ik ben fan van musicals en vind Chantal Janzen erg goed. Het lijkt me leuk om haar een keer in het echt te zien. Ik wil later zelf ook in musicals spelen, dus misschien kan zij mij helpen. Ze kan ook erg goed zingen!”

Je komt uit Tegelen. Wat kun je het beste doen als je een accent hebt?

“Ja, dat is moeilijk hoor. Ik heb er nooit les voor gehad. Maar als je een beetje moeite hebt met van je accent afkomen, dan moet je inderdaad spraakles volgen. Ik vind ook dat je geen accent moet hebben. Op toneel ben je een onzijdig persoon. Behalve natuurlijk in een stuk als *Petticoat*. Want Pattie komt uit Groningen. Daar heb ik juist het Groningse accent voor moeten aanleren. Ik ben er al een half jaar voor de première al mee begonnen. Gewoon heel veel luisteren en de hele dag Gronings praten met elkaar.”

Wie zijn jouw helden?

“Ik heb er wel een paar, maar dat zijn heel verschillende helden. Ik ben bijvoorbeeld ambassadeur van het Ronald McDonald Kinderfonds. Af en toe ga ik naar zo'n huis. De mensen die daar werken, dat zijn voor mij echte helden. En die kinderen die daar liggen en hun families ook. Dat ze zich zo goed houden, terwijl er iets heel ergs in hun familie aan de hand is. Dat vind ik heel bijzonder! In de showbizz vind ik Beyoncé een held. Ze is heel jong en heeft al zoveel bereikt. Ze is heel sterk en weet goed wat ze wil. En vroeger was de acteur Huub Stapel mijn held. Hij komt uit mijn dorp en praatte ook met een accent. Toen ik zag dat hij het wel redde als acteur dacht ik: nou, dan gaat het mij ook lukken.”

Wil je doorbreken in Amerika, of liever in Nederland blijven?

“Voor mijn familie zou ik 't liefst in Nederland blijven. Zelf wil ik misschien nog wel eens naar Duitsland. Maar Amerika, nee dat hoeft niet zo van mij. Ik heb ook niet het idee dat daar iemand op mij zit te wachten. In Amerika heb je zoveel musicalsterren die nog veel beter zijn dan ik. Ik ben wel blij met de kansen die ik hier krijg. Ik vind het ook wel lekker overzichtelijk zo'n klein land.”

Heb je tips voor mij als ik musicalster wil worden?

“Ik was vroeger een nietszeggend, verlegen meisje met een bril die helemaal niets durfde. Als iemand toen had gezegd: jij gaat op het podium staan in de hoofdrol van een musical... Dan zouden mijn ouders zeggen: Nou, dat denk ik niet. Je moet geloven in jezelf! Niet denken: ik kom uit een klein dorp, ik zie er niet uit en ik heb een raar accent. We zijn allemaal ooit ergens begonnen. Als je iets echt wilt, dan komt het goed!”

Wat vind je ervan dat musicalsterren als Zorro gezocht worden met een tv-programma?

“Dat er af en toe een programma komt om een nieuwe hoofdrolspeler te zoeken, vind ik helemaal niet erg. Gelukkig gebeurt het niet alleen maar op die manier. *Wicked* hebben we ook gewoon met audities binnen vier muren gedaan. Zonder tv-camera's erbij. Ik zou het nooit gedurfd hebben hoor, zo'n afvalrace op tv. Dus ik ben blij dat ik niet bij de nieuwe generatie musicalsterren zit.”

Wat zou je willen vertellen aan de lezers van dit boek?

“Het is heel goed en leuk om een held te hebben. Maar tegelijkertijd vind ik dat je ook verder moet kijken. Soms denk je misschien: zij is een echte held, ze heeft alles voor elkaar en is altijd gelukkig. Dat is natuurlijk niet zo. Het is niet altijd alleen maar leuk. Vandaag is het zondag. Mijn vriend is vrij. Dan denk ik: nu zou ik het best leuk vinden om met mijn vriend en zoontje te picknicken in het park. Maar ik heb gekozen voor dit vak. Dus ik speel vandaag twee voorstellingen. Held zijn is mooi, maar soms is het ook gewoon keihard werken.”

'verhalen vertellen, dat past gewoon bij mij'

Wie bel je als ergens iets te slopen valt? Juist. Bart Meijer.
Als presentator van *Het Klokhuis* laat hij graag dingen ontploffen. En hij neemt een kijkje op plekken waar je normaal niet zo snel komt. Hoe komt Bart aan zoveel lef? Is hij wel eens bang? En wat deed hij vroeger het liefst op school?

Wie is jouw held?

“Ik zat vroeger op voetbal. En ik was heel erg fan van Marco van Basten en Dennis Bergkamp. Die namen zeggen jou natuurlijk niets. Het waren de Klaas-Jan Huntelaar en Wesley Sneijder van toen. Een andere held van mij is Nelson Mandela. Hij heeft zijn hele leven gestreden voor gelijke mensenrechten. Dat vind ik heel mooi!”

'Als je veel voor anderen kunt betekenen, dan ben je een held.'

Wat moet een held volgens jou kunnen?

“Een superheld kan natuurlijk vliegen. Of iets anders bovennatuurlijks zoals huizen optillen. Gewone mensen zoals wij kunnen dat niet. Een mensenheld kan wel iets bijzonders, denk ik. Daarmee onderscheidt hij zich van de rest. De voetballer Lionel Messi bijvoorbeeld. Die is zo handig, snel en slim dat hij beter is dan iedereen. Als je heel goed bent, of veel voor anderen kunt betekenen, dan ben je volgens mij een held.”

Hoe komt het dat je zoveel durft?

“Dat gaat eigenlijk een beetje vanzelf. Ik ben heel nieuwsgierig en gewoon niet zo snel bang. Het enige waar ik bang voor ben zijn muizen, ratten en insecten. Als ik die zie, dan sta ik echt bovenop de tafel. Uiteindelijk durf ik misschien wel een muis vast te houden, hoor. Maar als hij dan iets geks doet ga ik gillen! Met *Breaking News* hebben we heel gekke dingen gedaan. Veel ontploffingen, hangen onder een helikopter. Dat is alleen maar spannend. Ik durf het ook, omdat ik weet dat het veilig is. En dat deskundige mensen opletten of alles goed gaat.”

naam: Bart Meijer
geboren: 11 mei 1982
beroep: presentator

Bart Meijer is voor niets en niemand bang. Nou ja, bijna dan. Wel voor muizen en insecten. Bart beleeft de meest fantastische avonturen voor *Het Klokhuis*. Hij houdt van reizen, voetballen met vrienden en hij leest elke week de *Donald Duck*. Bart is een slimme vos... Want als hij straks te oud is om *Het Klokhuis* te presenteren, dan maakt hij gewoon een *Klokhuis* voor volwassenen!

Wat vond je vroeger leuk om te doen?

“Computeren. Toen ik jong was had je de Sega. Die bestaat allang niet meer. Het was één van de beste spelcomputers. Een enorm ding, je moest hem echt ergens neerzetten. Niet zoals nu met de PSP en DS. Op school vond ik gym heel leuk. En handenarbeid. Iets solderen, een gekke doos maken, of een borduurwerkje. Borduren vond ik ook heel leuk. Ik weet niet hoe het kan, maar ik werd heel vaak ingedeeld bij borduren.”

Ben je wel eens bang?

“Ik ben wel eens bang geweest. Vorig jaar was ik in m'n eentje aan het wandelen in Nepal, in de bergen van de Himalaya. Toen moest ik over een heel smal paadje lopen. Onder me was een diepe afgrond van wel honderd meter. Ik had een grote rugzak op mijn rug. Die schuurde tegen de rotsen aan. Ik móest verder lopen, omdraaien kon niet. Toen was ik wel heel bang.”

'Ik vind het gewoon heel leuk om iets uit te leggen.'

Wat doe je als je dan bang bent?

“Soms breekt de paniek bij mij uit. Mijn hartslag gaat omhoog en dan krijg ik een soort overlevingsdrang. Dan doe ik alles om uit die situatie te komen. En dat lukt dan ook. Als ik bang ben voor muizen ofzo, dan denk ik gewoon: Bart, het zijn maar muizen. Kom op, je bent toch geen sukkel!”

Hoe ben je bij Het Klokhuis terechtgekomen?

“Tijdens mijn studie ging ik bij de radio werken. De hele dag op pad met een microfoon en een zender. Bijvoorbeeld naar een skatebaan, of naar de Efteling. Dat vond ik heel leuk. Toen las ik dat *Het Klokhuis* een presentator zocht. Ik heb gesolliciteerd en mocht langskomen. Alle kandidaten kregen een opdracht. Ik moest net doen of ik een lever van de ene naar de andere plek in een ziekenhuis bracht. En toen hadden ze bij de slager een echte koeienlever gehaald. Die lag al een paar dagen in de koelkast. Toen ik mijn auditie moest doen, bleek dat de stekker er niet in zat. Dus die lever was klef en vies geworden en hij stonk enorm. Ik dacht: doorzetten, Bart! Toen ben ik gewoon doorgegaan en dat vonden ze wel stoer. En toen mocht ik presentator worden.”

Hoe zijn jullie op het idee gekomen voor Breaking News?

“De regisseur Jan-Pieter had bedacht dat *Het Klokhuis* wel iets kon uitleggen over natuurkrachten. Dus over zwaartekracht, over de kracht van licht, de kracht van warmte, van explosieven en nog meer. Dat heeft allemaal te maken met natuurkunde. En natuurkunde is best moeilijk. We zochten een manier om het eenvoudig uit te leggen, zodat iedereen het kan begrijpen. Jij, maar ook je opa en oma. Toen kwam Jan-Pieter op het idee om een autootje te nemen en dat elke keer te gaan slopen met een andere natuurkracht. Van elke aflevering leer je een beetje natuurkunde. Maar uiteindelijk is het leukst natuurlijk dat autootje slopen!”

Welke aflevering vond je het spannendst om te doen?

“We hebben van alles gedaan. Maar ik vond elektriciteit wel heel spannend. Bij die aflevering gebeurde iets dat we niet hadden verwacht. Ik dacht dat er een bliksemschicht door de auto zou schieten. En dat er misschien een lampje kapot zou gaan. Maar je hebt het gezien... die knal... niet normaal! Die auto ontplofte, hij smolt, hij knalde zo hard uit elkaar! We stonden allemaal met een enorme hartslag te kijken. Onder de adrenaline. Daarom was die aflevering zo spectaculair. Bij alle andere krachten konden we voorspellen wat er ging gebeuren. Maar hierbij niet...”

Wat is je grootste blunder?

“Ik heb gelukkig geen supergrote blunders gehad. Wel veel versprekingen. Dan zei ik bij een aflevering over vuilniszakken de hele tijd vuilnissokken. Of ik noemde de dominee de hele dag domino. Dat sloeg echt helemaal nergens op. Het was een soort kortsluiting in m'n hersenen. Voor *Breaking News* hingen we een keer aan een hijskraan in een heel klein bakje. Dat was superspannend. Dus ik zei de hele tijd: whoow, shit, was is dit hoog, shit. Dat is natuurlijk niet netjes om te zeggen op televisie. Dus de regisseur riep steeds: Bart, Bart, zeg dat nou niet, want nu kunnen we het niet gebruiken.”

'En de regisseur riep steeds: Bart, Bart, zeg dat nou niet!'

Wat vind je het beste gelukt aan het Klokhuis-huis?

“Het Klokhuis-huis is een te gek project. Het is een huis dat helemaal is ontworpen door kinderen. Onze kijkers mochten een plan maken voor de buitenkant, de woonkamer, de slaapkamer, de keuken en de relaxkamer. Daar heeft een architect een totaalontwerp van gemaakt en toen zijn we gaan bouwen. In dertien afleveringen kon je precies zien wat er allemaal bij komt kijken. Het huis heeft de vorm van een taart gekregen en het staat in Almere. Normaal gaat Het Klokhuis op bezoek bij fabrieken en bouwvakkers enzo. Voor dit project was het andersom. Nu kregen wij iedereen op bezoek om het huis te bouwen.”

Wat leer je zelf van Het Klokhuis?

“Elke keer iets nieuws. Want ik kom steeds op plekken waar ik ook nog nooit ben geweest. Ik was gisteren bij de Hunebedden in Drenthe. Daar heb ik geleerd hoe ze die heel vroeger hebben gemaakt. Dat was interessant. Wat ik wel jammer vind, is dat ik niet alles wat ik op tv vertel ook meteen onthoud. Dus soms kijk ik naar een aflevering en dan denk ik: huh? Heb ik dat zo gezegd? Dan leer ik dus dubbel van mezelf. De eerste keer als ik er ben. En de tweede keer als het op tv is. Niet alles blijft even goed hangen, maar een boel wel hoor.”

NAAM: Pjotr Lansink
LEEFTIJD: 8 jaar
WOONPLAATS: Arnhem

“Ik wil Bart interviewen omdat ik geen uitzending mis van *Het Klokhuis*! Ik kijk vooral graag naar Bart's *Breaking News*. Ik vind het ook heel leuk dat er nu een echt Klokhuis-huis gebouwd wordt. Ik zou graag met Bart leren slopen en proefjes en testjes doen.”

Hoe worden de onderwerpen van Het Klokhuis bedacht?

“De meeste ideeën komen spontaan bij de redacteuren op. Als ze iets lezen of iets zien. Een redacteur fietst bijvoorbeeld 's avonds buiten en die denkt: hé, hoe wordt die lantaarnpaal eigenlijk gemaakt? Een ander is een dagje in een botanische tuin en die denkt: wow, hier zijn veel planten waar we iets over kunnen vertellen. De redactie is het kloppend hart van *Het Klokhuis*. Regisseurs komen ook vaak met ideeën voor een aflevering. En we krijgen mailtjes en brieven van kijkers met vragen en ideeën.”

Wat ga je doen als je te oud bent voor Het Klokhuis?

“Haha, wanneer ben ik te oud? Als ik allemaal rimpels op mijn gezicht heb? En een snor en een bril? Als ik een kruk nodig heb om te lopen? Ik weet nog niet wat ik dan ga doen. Ik vind het ook heel leuk om achter de schermen te werken. Om te regisseren. En te monteren. Het script te schrijven. Dat zou ik kunnen doen. Ik kan natuurlijk ook een soort *Klokhuis* voor volwassenen maken.”

Op welk dier lijk jij het meest?

“Wat een originele vraag! Ik hou wel van vlees, dus ik ben een carnivoor. En ik ben nieuwsgierig en ook wel sportief. Even denken hoor... een vos? Die gaat overal kijken. Een vos is sportief en slim. Een slimme vos, laten we het daarop houden.”

Aan welk kinderboek heb jij mooie herinneringen?

'Ik voetbal nog steeds met de vrienden van toen ik zes was.'

“Nu kan ik nog maar één titel adviseren natuurlijk... *De Fantastische Meneer Vos* van Roald Dahl. Dat is een geweldige schrijver. Hij heeft ook de *GVR* geschreven. En wat las ik nog meer? *Suske & Wiske* en de *Donald Duck*. Die lees ik nog steeds. Die eend verveelt nooit. Hij blijft maar gekke avonturen beleven.”

'Ik was op school best een nerd'

Ze speelt in tv-programma's en op het toneel. Voor jong en voor oud. In Nederland en ver daarbuiten. Anna Drijver is één van de beste actrices van Nederland. En ze kan ook nog schrijven, schilderen en zingen. Hoe doet ze dat toch allemaal? Was ze vroeger populair op school? En waarom vindt ze het niet erg om bloot te acteren?

Het lijkt wel of je alles kan. Waar ben je volgens jezelf het beste in?

“Wat een moeilijke vraag. Misschien wel in iets verzinnen. Een verhaal voor een boek of een voorstelling. Ja, iets verzinnen in mijn fantasie. Dat vind ik ook het leukst om te doen. Voor mijn boek *Je Blijft* heb ik ook veel verzonnen. Karakters die van alles beleven, omdat ik dat heb bedacht. Dat is toch leuk?”

Naam: Anna Drijver
Geboren: 1 oktober 1983
Beroep: Actrice & schrijfster

Anna Drijver is een duizendpoot. Ze acteert, ze schrijft, ze zingt. En in haar vrije tijd schildert ze graag. Vroeger op school was ze een beetje een nerd. Maar tegelijkertijd stond ze wel als model in de *Yes!* en de *Fancy*. Anna speelde mee in de serie *Willemspark* (2007) en later dit jaar is ze te zien in de kinderfilm *Tony Tien*.

Speel je liever een bitch, een lieve vrouw of een moeder?

“Ik heb een moeder gespeeld in *Levenslied* en *Bride Flight*. Dat vond ik best moeilijk. Zeker bij *Bride Flight*, want toen was ik pas 23 jaar. Een bitch vind ik geloof ik het leukst. Misschien niet echt een bitch, maar wel een sterke vrouw. Iemand die weet wat ze wil, maar ondertussen wel problemen heeft en onzeker is.”

Welke film waarin jij hebt gespeeld vind je zelf het leukst?

“De film *Bride Flight* was heel leuk. Die is nu ook uit in Amerika. Laatst kreeg ik mailtjes van mensen die hem daar hadden gezien. Dat vind ik wel bijzonder. We hebben de film opgenomen in Nieuw-Zeeland. Dat is zo'n supermooi land. We hebben allemaal leuke dingen beleefd. Voor het verhaal liepen we in kleren uit de jaren vijftig en zestig. En we reden rond in oude auto's. Dat was heel bijzonder.”

Je hebt geen moeite om bloot in een film te spelen. Waarom niet?

“Het moet niet zomaar bloot zijn. Als het past bij het verhaal en bij de rol die ik speel, dan vind ik het niet erg. Gek is het wel hoor. Eerst zit je met z'n allen een beetje dom te giechelen. En dan moet je ineens je badjas uittrekken. Maar na een kwartiertje ben je het alweer vergeten, hoor. Dan ga je zo op in je rol...”

'Een bitch spelen vind ik wel het leukst, geloof ik.'

Waar heb je wel moeite mee?

"Roken vind ik heel vies. Ik heb net een film in Italië gedaan. Er was een scène waarin ik moest roken van de regisseur. Maar ik kan helemaal niet roken. Ik heb het ook nooit gedaan. Soms lees ik een script en dan staat er bij mijn karakter: ze rookt aan één stuk door. Dan denk ik al: hmmm... Kan ze niet gewoon heel veel eten achter elkaar ofzo?"

Wat vind je de beste kinderfilm?

"Ik vind *Minoes* heel leuk. En *Dick Trom* vond ik ook wel vet. En ik hou heel erg van die Pixar-films. *Up* en *Wall-E* enzo. En *Toy Story 3*, daar ben ik echt drie keer naartoe geweest. Gewoon omdat ik hem zo tof vond in 3D."

Wat moet je doen om een goeie actrice te worden?

"Ik zou je aanraden om naar een toneelschool te gaan. En heel veel films kijken is ook goed. Probeer dan niet alleen maar te genieten van de film, maar ook goed op te letten. Wat zie je precies? Hoe vaak zie je een gezicht van dichtbij? En waarom is het zo leuk wat die actrice doet? Daar leer je van."

Welke sporten doe je?

"Yoga, drie keer in de week. Verder hops ik een beetje heen en weer in de sportschool. 'Bodyshapen' heet dat. Dat is zo vaak heen en weer springen tot je er moe van wordt. En ik ga wel eens rennen, gewoon buiten in het Vondelpark."

NAAM: Jolein de Buck
LEEFTIJD: 11 jaar
WOONPLAATS: Boekelo

“Ik heb veel bewondering voor Anna Drijver omdat ze slim is en mooi. Ik zou er zelf ook wel zo uit willen zien. Ze heeft aan *Wie Is De Mol* meegedaan (mijn favoriete programma, voor mij was ze de mol). Het was natuurlijk een grote schok toen ze afviel! En ze heeft in goede films meegedaan zoals *Komt Een Vrouw Bij De Dokter* en *Loft*. Ze is gewoon zichzelf, dat vind ik nog het knapst!”

Heb je nog andere hobby's?

“Schilderen vind ik heel leuk. Ik schilder thuis voor de lol. Ik speel een beetje piano, maar niet echt dat ik het studeer. Gewoon zitten en pingelen. En verder schrijven. Maar dat is nu eigenlijk ook een beetje mijn werk.”

Je bent ambassadrice van Ubuntu. Waarom?

“Ubuntu is een stichting die straatkinderen helpt. Ze zijn nu bezig in Ghana. En ik ben begin dit jaar naar Bandung in Indonesië geweest. Ubuntu maakt samen met de straatkinderen een toneelvoorstelling. Daarvoor repeteren ze vier maanden lang elke dag. Daarna spelen ze de voorstelling in hun dorp en de dorpen daar omheen. In die vier maanden leren de kinderen ontzettend veel. Ik hoop dat die kinderen en hun omgeving er beter van worden.”

Je werd geboren in een kraakpand. Wat vond je daarvan?

"Dat was heel leuk. Iedereen heeft wel een beetje een beeld bij krakers. Zo van: die hebben allemaal een bivakmuts op en vieze ouwe zwarte kleren. Maar dat was helemaal niet zo. Ik werd in 1983 geboren. Toen hadden veel mensen geen huis en geen werk. Maar ze moesten wel ergens wonen. Dus kraakten ze een leegstaand huis. Ik leerde dat krakers ook heel gewone mensen zijn. Dat waren mijn ouders ook. Ze vonden het gewoon zonde dat een groot gebouw leegstond. Daar zijn ze toen gaan wonen. Daarna heb ik in een oud schoolgebouw gewoond. Samen met allemaal andere kinderen en ouders. Dat was ook leuk."

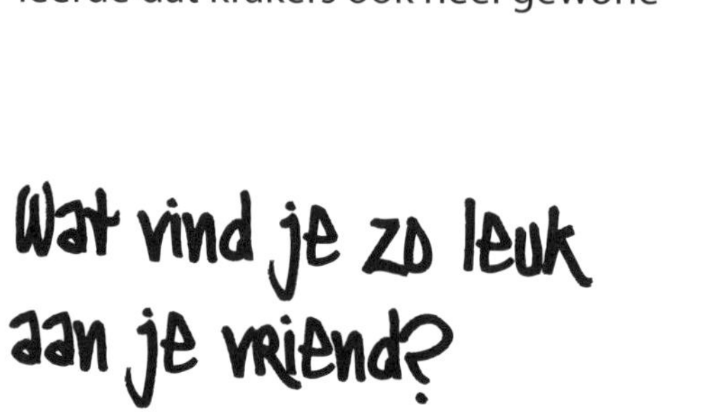

Wat vind je zo leuk aan je vriend?

"Ik ben altijd heel druk. Hij is juist rustig. Hij doet alles superlangzaam. Hij doucht langzaam, hij eet langzaam. Echt alles gewoon drie keer zo langzaam als ik. Dat is wel grappig. Je zou denken dat we helemaal niet bij elkaar passen, maar toch werkt het goed. Verder is hij heel slim en eerlijk. En hij is een goede acteur. We hebben ook samen gespeeld in een tv-serie en een toneelstuk."

Wanneer ga je trouwen en hoeveel kinderen wil je krijgen?

"Wow, wat een directe vraag! Sommige meisjes dromen hun hele leven van trouwen. Dat heb ik nooit gehad. Ik weet het nog niet. Het lijkt me wel leuk om kinderen te krijgen. Dan het liefst twee kinderen, een jongen en een meisje. Van allebei eentje, als ik mag kiezen!"

Welke droom had jij toen je elf jaar was?

“Dat wisselde heel erg. Ik wilde ooit ballerina worden, want ik hield veel van ballet. Op mijn elfde deed ik auditie bij het conservatorium. Echt een superstrenge school. Daar pakken ze je been en tillen 'm op. En dan vragen ze: Doet het pijn? En dat steeds hoger. Ik dacht dat ik er nooit goed genoeg voor zou zijn. Dus die droom heb ik laten varen. Actrice wilde ik niet echt worden. Wel regisseur. Ik was heel bazig en eigenwijs. Dat past wel bij het vak van regisseur. Dan moet alles precies op jouw manier gebeuren. En ik hield veel van lezen. Dus een boek schrijven was ook wel een droom.”

Wie is jouw held en waarom?

“Dat zijn er meerdere. Mijn moeder is een held. Want zij is echt heel erg leuk. En ze heeft me toch maar mooi opgevoed. Sommige actrices vind ik ook helden. Meryl Streep is altijd goed. Kate Winslet uit *Titanic* vind ik ook heel goed en mooi. En Audrey Hepburn. Die speelde vroeger in zwart-wit films. Zij is echt een supermooie actrice.”

Heb jij in je schooltijd iets bijzonders meegemaakt?

“Ik ging op de middelbare school al modellenwerk doen. Dat zou ik niet iedereen aanraden hoor. Zeker niet als je dan lagere cijfers haalt. Mijn resultaten waren goed. Dus ik mocht toen ik vijftien was naar Shanghai voor een modeshow. Daarna zat ik weer in de klas en dacht ik: ik was net lekker in Shanghai. Wow!”

Waren je klasgenoten jaloers?

“Nou, dat viel wel mee. Ik heb er nooit iets van gemerkt. Ook niet als ik in de *Fancy* of in de *Yes!* stond ofzo. Of als ik in een bushalte hing voor G-Star. Ze maakten wel eens grapjes, maar ik ben er nooit mee gepest. Er zijn wel jaloerse mensen hoor. Maar ja, dat is dan meer hun probleem, vind ik...”

Was je populair op school?

“Nee, dat viel wel mee. Ik kon met iedereen goed opschieten. Met de hockeymeisjes, maar ook met de nerds in de klas. Ik zat op een kak-school in Den Haag. De school waar Willem-Alexander ook op heeft gezeten. En Reinout Oerlemans. Misschien was ik zelf wel een beetje een nerd. Wij deden gymnasium. Met extra vakken enzo. Dan zeiden we tegen elkaar: leuk hè, Grieks! Daar begrepen de havoleerlingen natuurlijk niets van. Die rookten en hadden scooters. Zij vonden zichzelf veel cooler dan ons.”

Waar had je een hekel aan op school?

“Aan zware tassen. Wie heeft ooit verzonnen dat je voor acht vakken boeken mee moet nemen? Of gedoe met je kluisje, dat was ook vervelend. En geroddel, dat vond ik vreselijk. En nog steeds. Een van mijn grootste angsten is dat je naar de wc gaat en dat er dan mensen over je roddelen. Terwijl jij dan daarnaast in het hokje zit. Dat lijkt me heel erg.”

'Als ik schrijf, zit ik eigenlijk toneel te spelen'

Als kind wilde **Jacques Vriens** drie dingen worden: leraar, toneelacteur en schrijver. Dat is alle drie gelukt. Jacques schreef al meer dan zeventig kinderboeken en staat met zijn eigen verhaal op het toneel. Hoe verzint-ie toch al die verhalen? Hoe was hij zelf in de klas? En kun je rijk worden van schrijven?

Hoe werd je schrijver?

“Mijn vader en moeder hadden een hotel in Helmond. Ze hadden het altijd heel druk en dus weinig tijd voor mijn broer en mij. We moesten onszelf vermaken. Gelukkig hadden we bij dat hotel een toneelzaal. Daar speelden we toneel met de kinderen uit de buurt. Ik speelde altijd een beetje de baas. Als we *Hans en Grietje* deden, dan zei ik tegen mijn vriendjes en vriendinnetjes: jij mag Hans zijn en jij bent Grietje. En jij bent de Heks, want je lijkt wel een beetje op een heks. Nou, toen hadden we natuurlijk ruzie in de tent. Ken je mijn boeken *De Bende van de Korenwolf*? Die verhalen gaan een beetje over hoe het toen was.”

Liepen er net als in het verhaal verklede kinderen door het hotel?

“Ja, precies! Dat is echt gebeurd. We hadden een grote verkleedkist. Als we ruzie hadden, zaten we achter elkaar aan. Dan renden we verkleed door het café. We bedachten zelf ook toneelstukken. Toen ik acht was dacht ik: als ik nou eens alles opschrijf, dan kunnen we het goed oefenen. Zo ben ik begonnen met schrijven. In het hotel van mijn vader en moeder.”

Hoe verzin je al die verhalen?

“Ik gebruik dingen die ik zelf heb meegemaakt toen ik zo oud was als jij. Bijvoorbeeld in dat hotel. En ook van later in mijn leven. Joost uit de *Bende van de Korenwolf* lijkt bijvoorbeeld heel erg op mijn zoon Casper. En ik ben heel lang meester geweest. Over veel dingen die in mijn klas zijn gebeurd, lees je in de boeken van *Meester Jaap*.”

NAAM: Jacques Vriens
GEBOREN: 26 maart 1946
BEROEP: Schrijver

Jacques Vriens heeft een grote fantasie. Hij schreef in totaal al meer dan zeventig boeken. Sommige verhalen zijn niet helemaal verzonnen. Jacques lijkt bijvoorbeeld verdacht veel op Meester Jaap. En veel kinderen in zijn boeken heeft hij als leraar ooit in de klas gehad. Jacques houdt wel van een grapje en hij is een beetje ijdel. Daarom staat hij graag als verhalenverteller op het podium.

BOEK OPEN OP PAG. 35...

Welke kleur zou jij je haar wel eens willen verven?

“Ik ben eigenlijk wel tevreden over mijn haar, ook al ben ik nu grijs. Maar als ik het moest verven, dan groen, denk ik. Dat heb ik ook een keer gedaan als meester. We vierden carnaval en ik wilde me echt verkleden. Toen ben ik als punker gegaan. Er is een verhaal van *Meester Jaap* dat hierover gaat. De kinderen zeggen tegen hem: Je bent zo saai. En dan komt hij 's middags ineens verkleed en met groen haar op school. Mijn leerlingen vonden dat fantastisch.”

Waarom sta je graag op het podium?

“Toneelspelen is een hobby van me. Ik doe het erg graag. En ik moet eerlijk zeggen dat ik wel een beetje ijdel ben. Al die mensen in de zaal kijken naar mij! Het is ook best eng. In mijn voorstelling zit veel licht en video. Stel dat er iets misgaat... Casper regelt dat. Hij zorgt voor het licht en geluid. Een keertje ging het mis. Toen heb ik een *Meester Jaap* verhaal voorgelezen terwijl Casper het probleem oploste.”

NAAM: Julia Kuipers
LEEFTIJD: 9 jaar
WOONPLAATS: Gouda

“Als ik de boeken van Jacques Vriens lees, word ik helemaal blij! Hij schrijft sfeervol, leuk en grappig. En het lijkt me een heel aardige man. Daarom wil ik hem graag interviewen!”

Als je geen schrijver was geworden, wat zou je dan zijn?

“Toen ik zo oud was als jij wilde ik drie dingen worden: schrijver, toneelacteur en meester. Als het vroeger regende op woensdagmiddag, zeiden veel kinderen: Kom op, we gaan naar Vriens. Want daar kunnen we binnen spelen in de zaal van het hotel. We hadden soms wel dertig kinderen in de zaal. Ik bedacht dat we schooltje konden spelen. En toen dacht ik: goh, misschien is het best leuk om meester te zijn.”

Waarom heet Meester Jaap eigenlijk Meester Jaap?

“Toen ik die verhalen ging schrijven zocht ik naar een goede naam voor de meester. Ik dacht eerst aan Henk en Wim. Maar dat vond ik een beetje saai klinken. Toen maakte ik er Meester Jan van. Tijdelijk, want eigenlijk vond ik dat ook niks. En opeens viel er een geboortekaartje in de bus van vrienden van ons. Die hadden een zoontje gekregen... Jaap! Ik dacht: Meester Jaap, dat klinkt wel leuk. En het lijkt ook nog een beetje op mijn eigen naam. Zo is het Meester Jaap geworden.”

Hoeveel boeken heb je al geschreven?

“Alles bij elkaar 73. *De Ontsnapping van de Brullende Muis* is een nieuwe en *Het Geheime Weekboek van Groep 8* ook. Daarin houden vier kinderen een geheim weekboek bij. Over alles wat er in de klas gebeurt.”

Welk boek dat je geschreven hebt vind je het meest bijzondere?

“Eén boek is wel extra bijzonder voor mij. Dat is *Achtste Groepers Huilen Niet*. Het gaat over een meisje dat bij mij in de klas zat. Ze werd heel ziek. Ze kreeg leukemie, een vorm van kanker. We dachten dat ze beter zou worden, maar dat gebeurde niet. Uiteindelijk is ze overleden. Anke was echt een heel grappig kind. Heel stoer en ze kon goed voetballen. Beter dan sommige jongens in de klas. Ik vond het heel moeilijk om dit verhaal op te schrijven. Ik ben er wel tien keer aan begonnen, maar het mislukte steeds. Toen maakte ik van de meester een juf en ik veranderde de naam van Anke in Akkie. Daarna veranderde ik alle namen van de kinderen in de klas. Toen lukte het wel om alles op te schrijven. Negen jaar nadat Anke overleden was, kwam het boek uit.”

Hoe was je zelf in de klas?

“Ik vond school helemaal niet leuk. Wij zaten met wel vijftig kinderen in de klas. Alleen maar jongens, dus dat was heel saai. De meesters waren streng. Ze deelden af en toe een klap uit. Dat kon toen nog. Ik was helemaal niet zo'n stoer jongetje. Daarmee werd ik gepest. Toen ik zelf meester werd, dacht ik: ik wil dat kinderen het fijn hebben op school. En ik moet zorgen dat er geen kinderen gepest worden.”

'Mijn kleinzoon noemt mijn auto een puddingbroodje.'

Wat kunnen kinderen van je boeken leren?

“Ik denk: dat je elkaar niet in de steek moet laten. Echte vriendschap betekent dat je iets voor een ander over hebt. En dat je moet leren opkomen voor jezelf. Want grote mensen denken altijd dat ze het zo goed weten, maar wat jij vindt is ook heel belangrijk!”

Hoe ziet jouw gezin eruit?

“Mijn vrouw heet Therese en ik heb twee kinderen: Boris en Casper. Maar die zijn al hartstikke groot. Boris is 40 en Casper is 38. En ik heb drie kleinkinderen. Jelle, Evie en Esther. Die komen soms logeren. Dan gaan we het bos in en we doen allerlei leuke dingen.”

Word je wel eens herkend op straat?

“Ik kom natuurlijk niet zo heel vaak met mijn hoofd op televisie. Zo af en toe wel eens in het *Jeugdjournaal*. Maar ik word niet zo gauw herkend. Heel soms wel. Laatst zat ik in de trein. Er liep een meisje voorbij dat naar me keek. Later kwam ze weer langs met twee vriendinnen. Ze moesten giechelen maar zeiden niets. Toen ze nog een keer terugkwamen heb ik een grap uitgehaald. Ik zei tegen ze: ja, jullie zien het goed... ik ben Carry Slee. Ze moesten heel hard lachen. Toen was het ineens minder spannend voor ze. Ze kwamen even bij me zitten om gezellig te kletsen.”

Kom je naar het theater met een limousine?

“Nee hoor. Gewoon met de trein. Ik heb wel een auto, maar zeker geen limousine. Ik heb een Renault Kangoo. Die is een beetje rond, maar je kunt er veel in kwijt. Mijn kleinzoon noemt mijn auto een puddingbroodje. Dus opa Jacques rijdt in een puddingbroodje.”

Lezen je vrouw en kinderen je boeken van tevoren en wat vinden ze er dan van?

“Therese leest altijd als eerste mijn boeken en Boris meestal daarna. Hij houdt heel erg van lezen. Casper is niet zo'n lezer, dus die leest het vaak als het al in de winkel ligt. Therese en Boris geven ook commentaar. Therese heel voorzichtig. Ze schrijft dan in de kantlijn: Ik vind het een beetje saai. Of: Het is een beetje lang. Maar weet je wat Boris doet? Die schrijft niet keurig op dat het 'een beetje saai is', hij zet gewoon erbij: Gelul, met een uitroepteken. Hij is gewoon heel duidelijk. En dat kan soms best handig zijn voor een schrijver.”

Kun je rijk worden van kinderboeken schrijven?

“Ik heb het zeker niet slecht, maar je kunt er niet echt rijk van worden in Nederland. Een boek kost in de winkel misschien acht of tien euro. Moet je eens bedenken wat daarvan allemaal moet gebeuren. Er moeten tekeningen in. Iemand moet het mooi opmaken. Het moet gedrukt en vervoerd worden. En de boekwinkel moet er ook nog aan verdienen. Uiteindelijk blijft er per verkocht boek ongeveer een euro over voor mij. Dus als je rijk wilt worden, moet je héél véél boeken verkopen.”

Heb je ook grappige gewoonten bij het schrijven van een boek?

“Ik draai altijd klassieke muziek. Daar hou jij waarschijnlijk niet zo van. Mozart, zegt je dat wat? Nou, het is dus heel rustige muziek. Dat is fijn als je hard moet nadenken. En ik praat hardop als ik zit te schrijven. Dat is echt heel grappig. Mijn vrouw loopt wel eens langs en dan hoort ze mij mompelen. Dan weet ze meteen dat ik aan het schrijven ben. Als ik schrijf, zit ik eigenlijk toneel te spelen. Zo kan ik meteen horen hoe het klinkt.”

Ik wil misschien schrijver worden. Heb je tips voor me?

“Je moet eerst een goed idee hebben voor een verhaal. En dan jezelf de vraag stellen: wie zijn de hoofdpersonen? Het is handig om ze een beetje te laten lijken op mensen die je kent. En dan verander je gewoon de namen. Ook een belangrijke tip: zorg dat je weet hoe het verhaal afloopt. Dan weet je altijd waar je naartoe moet schrijven. Als je nog meer tips wilt, kun je ook op mijn website kijken: www.jacquesvriens.nl. Daar kom je in de hal van een school terecht. Je kunt vanuit de hal naar het schrijflokaal. Daar staan heel veel tips en trucs.”

'Nieuwsgierig zijn is het allerbelangrijkst'

Sacha de Boer komt 's avonds bij anderhalf tot twee miljoen mensen over de vloer. Ze presenteert het *Achtuurjournaal* van de NOS. Zo'n droombaan krijg je natuurlijk niet zomaar. Wat moet je er allemaal voor doen? Mag je zelf je kleren uitkiezen? En hoe spreek je toch al die moeilijke woorden foutloos uit?

Wat wilde je vroeger worden?

“Ik wilde het liefst fotograaf worden. Ik was nieuwsgierig en ook een beetje verlegen. Maar als ik een camera meenam, had ik altijd een goede smoes om ergens binnen te komen. Toen ik tien jaar was, wilde ik bijvoorbeeld weten wat er allemaal gebeurde bij het politiebureau om de hoek. Ik heb gewoon aangeklopt en gezegd: ik maak een reportage. Toen kreeg ik een rondleiding van de agenten. Als je nieuwsgierig bent, kom je op interessante plekken. Daarom ben ik journalist geworden.”

Hoe word je nieuwslezer?

“Je moet altijd eerst journalist zijn. Anders kun je geen nieuwslezer worden. Het is ook handig als je een beetje weet hoe de wereld in elkaar zit. En hoe je de juiste vragen stelt. Ook moet je belangrijk nieuws van onbelangrijk nieuws kunnen scheiden. En dat verschil ook overbrengen aan de kijker.”

Wat deed je voordat je nieuwslezer was?

“Ik ben begonnen als koerier van video-opnames voor het nieuws. Dat was tijdens mijn studie. Na een tijdje kon ik geluidsvrouw worden. Ik zorgde dat het geluid bij de nieuwsitems helemaal goed was. Als er geen verslaggever mee was, mocht ik mensen ook wel eens vragen stellen. Daarna ben ik bij AT5 gaan werken, de lokale tv-zender van Amsterdam. Eerst als redacteur, later als verslaggever en presentator. Via RTL en Veronica ben ik uiteindelijk bij de NOS terechtgekomen.”

'Mijn eerste keer *Achtuurjournaal* vond ik wel spannend.'

NAAM: Sacha de Boer
GEBOREN: 9 april 1967
BEROEP: nieuwslezer en fotograaf

Sacha de Boer begon als koerier voor nieuwsredacties. Daarna werd ze geluidsvrouw, verslaggever en uiteindelijk presentator van het *Achtuurjournaal*. Daarnaast is ze fotograaf. Ze maakt portretten en reportages. Sacha werkt om de week bij de NOS. Elke laatste werkdag van zo'n week neemt ze voor de hele redactie lekkers mee. Die dag noemt ze chocolade-slagroomtruffel-zaterdag.

Was je erg zenuwachtig toen je voor het eerst het Journaal presenteerde?

“Niet het gewone *NOS Journaal*, maar de eerste keer het *Achtuurjournaal* vond ik wel spannend. Aan het begin van de uitzending was er een 'voice-over', zo'n meneer met een zware stem die zei: 'Het *Achtuurjournaal* met Sacha de Boer.' Dat was echt heel raar. We doen hier op de redactie ook wel een beetje druk over het *Achtuurjournaal*. Voor ons is het de belangrijkste uitzending. Er kijken elke avond anderhalf tot twee miljoen mensen naar. Daar moet ik niet teveel over nadenken... Stel je voor dat je een heel rare fout maakt. Dan zien al die mensen dat!”

Hoe ziet je dag eruit?

“Ik word wakker en zet meteen het radionieuws aan. Ontbijten doe ik met teletekst en de kranten. En met een iPad voor het internetnieuws. Op het werk beginnen we met een grote vergadering over wat er in het *Achtuurjournaal* komt. Na de vergadering ga ik het nieuws volgen en de uitzending voorbereiden. Om een uur of vijf doe ik een dikke laag poeder op mijn gezicht. Kijk, jij hebt nog een mooie huid. Maar volwassenen zien er op de camera soms heel wit uit of ze hebben rode vlekken in hun gezicht. Normaal zie je dat niet zo, maar op tv wel. Dus daar gaat een stevige laag make-up overheen. Hup, nog wat oogschaduw, want anders zie ik eruit of ik net uit bed kom. Haar netjes, jasje aan. En ik tik de laatste tekstjes. Na de uitzending bespreken we even hoe het is gegaan en om negen uur ben ik klaar.”

Wie bepaalt welke onderwerpen in het NOS Journaal komen, en hoe?

“De eindredacteur is heel belangrijk. Die bepaalt wat hij in het *Achtuurjournaal* wil laten zien. Hij zet een draaiboek op dat we samen doornemen. De hele dag veranderen nog dingen aan het draaiboek. Want er is altijd nieuwer nieuws.”

'Dierenleed, daar kan ik echt niet goed tegen.'

Hoe weet je hoe je moeilijke woorden uitspreekt?

“Als we het zelf echt niet weten, dan bellen we iemand die het wel weet. Bijvoorbeeld toen die vulkaan op IJsland uitbarstte: Eyjafjallajökull. Dan bel ik iemand die het land en de taal kent en vraag ik: hoe spreek je dat uit? Ik schrijf het op zoals het klinkt, fonetisch noem je dat. Dus in dit geval: ee-jaf-jat-la-jeu-kuuk. Zo kun je het veel makkelijker oplezen dan als je de echte spelling ziet.”

Heb je wel eens de slappe lach gekregen?

“Jawel, maar niet in beeld gelukkig. Als je bedenkt dat er twee miljoen mensen kijken, dan word je vanzelf wel serieus. Ik heb wel eens een kriebel in mijn keel gehad. Dan hoop je maar dat de tekst snel voorbij is. Als de kijker dan een reportage ziet of een interview, kan ik even hoesten. We hebben daar een speciale kuchknop voor. Daarmee kan ik mijn microfoon uitzetten zodat jij thuis niets hoort.”

Zijn er onderwerpen die je moeilijk vindt om te presenteren?

“Ja, als het gaat over dieren die iets zieligs meemaken. Ik vind dieren altijd zo ontzettend lief en onschuldig. We hebben natuurlijk veel nieuws met oorlog en geweld. Dan zie je de meest vreselijke beelden. Dat vind ik ook heel erg. Maar dierenleed, daar kan ik echt niet goed tegen.”

Welk nieuwsbericht is je altijd bijgebleven?

“Dat president Obama gekozen werd in Amerika. Hij is de eerste donkere president van dat land. Ik was in New York om foto's te maken. Toen ben ik de straat opgegaan en heb ik mensen gefotografeerd. Iedereen was ontzettend blij. Een heel dikke donkere dame kwam naar me toe en gaf me zomaar een knuffel. Zo blij was ze. Ik werd daar zelf ook heel blij van. Op zo'n moment lees je het nieuws niet voor, maar zit je er zelf middenin!”

Wat was je grootste blunder?

“Haha. Ik kwam een keertje te laat in de studio voor het *Achtuurjournaal*. Ik was de sleutel van mijn klerenkast kwijt. Die moest ik een paar verdiepingen lager ophalen. Toen vergiste ik me helemaal in de tijd. Dus ik was nog vrolijk mijn poedertje en lipglossje aan het opdoen. Ineens hoorde ik ze van onderaan de trap roepen: 'Sacha, Sacha, waar ben je?' Ik vloog de trap af. Helemaal buiten adem begon ik het nieuws te lezen. Ik bleef heel raar ademen. Dat merkte de kijker natuurlijk. Dus uiteindelijk zat er niets anders op: ik heb op tv gezegd dat ik te laat was. Daarna viel de spanning van me af en kon ik weer gewoon ademhalen.”

NAAM: Carlijn Kroesen
LEEFTIJD: 11 jaar
WOONPLAATS: Hilversum

“Mijn held is Sacha de Boer omdat ik zelf heel erg graag nieuwslezer wil worden. Sacha kan dat echt supergoed. Ik wil graag van haar weten hoe haar dag eruitziet. En hoe het is om het *Achtuurjournaal* te presenteren!”

Heb je een ritueel voor de uitzending? Bijvoorbeeld tien kniebuigingen of een schietgebedje?

“Wat een ontzettend leuke vraag. Nee, dat heb ik niet. Ik doe mijn make-up en dan doe ik mijn oortje in. Dat oortje is een soort luidsprekertje. Zo kan de regisseur me aanwijzingen geven tijdens de uitzending als dat nodig is.”

Je bent ook fotograaf. Wat vind je daar zo leuk aan?

“Dat je op allerlei plekken komt. Ik vertelde je al over het politiebureau. Dat was toen ik klein was. Ik ben laatst als fotograaf naar de Noordpool geweest. Ik kon allerlei mensen vragen stellen. Met zo’n camera in je hand heb je altijd een goed excuus om mensen aan te spreken. Dat maakt het veel makkelijker. Dat je er mooie foto’s aan overhoudt vind ik ook heel leuk. Dat zijn de herinneringen van mijn leven.”

Wil je niet liever als correspondent werken in New York of Brussel?

“Nou... Brussel niet. Dat gaat teveel over de Europese Unie. Vaak is het nieuws daarover een beetje saai. Het kan wel eens interessant zijn, maar je moet toch vooral bij vergaderingen zitten en verder ga je niet echt ergens heen. New York lijkt me wel heel leuk. Maar dan wil ik graag mijn man meenemen.”

Hoe vaak ga je naar de kapper? Je haar zit altijd zo mooi...

“Oh, echt? Dank je. Ik heb het twee maanden geleden net kort geknipt. Daarvoor vond ik het juist heel slordig zitten. Ik ging elke maand naar de kapper. En nu het zo kort is elke zes weken. Mijn haar leidt een beetje zijn eigen leven. Het schiet alle kanten op. In mijn make-up etuitje zit ook een borstel en een klein busje haarlak. Als het dan voor de uitzending wild en woest zit, probeer ik het snel nog even netjes te krijgen.”

Je man is Rick Nieman, van de concurrent RTL Hoe is dat?

“Rick is een heel leuke man! We praten veel over het nieuws. Maar we hebben wel afgesproken dat we dat niet tijdens het werk doen. Overdag zijn we concurrenten van elkaar. Dan praten we niet over wat er in de uitzending komt. Thuis kunnen we het weer overal over hebben. Ik hoef dus nooit langer dan een dag iets voor hem geheim te houden...”

Kost je opmaken meer tijd dan het Achtuurjournaal lezen?

"Als ik naar de visagisten zou gaan, dan duurt het wel drie kwartier. Daarom doe ik het zelf. Dan heb ik ook even een momentje voor mezelf. Ik doe altijd hetzelfde oogschaduwtje, dezelfde mascara. Dat kan ik redelijk snel. Alles bij elkaar in ongeveer twintig minuten. Net zo lang als het *Achtuurjournaal* dus. Ik zou het wel makkelijk vinden als ik gewoon een soort masker op kon doen. Hup en meteen klaar!"

Moet je zelf je kleren kopen?

"Nee, dat hoeft niet. Maar ik doe het soms wel. Er is een styliste, maar daar ga ik niet mee op pad. Ik ben een beetje eigenwijs en heb zo mijn eigen smaak. Dus ik heb een adresje waar ik mijn jasjes haal. De shirtjes zijn gewoon van mezelf. Die trek ik 's ochtends thuis aan. Net als de sieraden. Op de redactie hangen alle jasjes die ik in de loop van de jaren heb verzameld. Daar kies ik er steeds eentje uit. Ik heb wel een paar favoriete jasjes. Dus als ik niet uitkijk, draag ik steeds hetzelfde. Dat kan natuurlijk niet op tv. Als ik een jasje heb gedragen, hang ik die helemaal rechts in de kast. En voor een uitzending zoek ik links in de kast naar een jasje. Dat is mijn systeempje geworden."

Ik wil heel graag nieuwslezer worden. Heb je tips voor me?

“Je hebt al een mooie stem en je praat duidelijk. Dus dat heb je mee. Het is heel belangrijk dat je het nieuws goed volgt. Het *Jeugdjournaal* kijken dus en de *Kidsweek* lezen. Verder moet je lef hebben. Gewoon nieuws zoeken en op mensen afstappen om ze vragen te stellen. Neem je camera mee, net als ik deed toen ik tien was. Misschien vind je het soms eng. Maar als je zegt dat je journalist wilt worden, dan is het makkelijker. Mensen willen dan wel met je praten. Je kunt verschillende nieuwslezers vragen om tips, zoals je nu ook doet. En dan straks misschien een weblog beginnen. Dat gaat dan over je zoektocht om nieuwslezer te worden. Je kunt er foto’s en filmpjes op zetten en de antwoorden op de vragen die je hebt gesteld. En voor je het weet... zit je zelf in de studio te presenteren!”

‘Rick is een heel leuke man! Maar overdag zijn we concurrenten van elkaar.’

Wie is jouw held?

“In de fotografie James Nachtwey. Hij maakt foto’s in oorlogsgebieden. Daar gebeuren heel nare dingen en toch kan hij er mooie foto’s maken. Door die foto’s ga je echt nadenken over dat gebied en de mensen. Dat vind ik erg knap. En van de nieuwslezers vind ik Fiona Bruce heel goed. Zij werkt voor het *BBC News* in Engeland.”

'Ik bloos snel en voel me dan verlegen'

Hoe zijn **Nick en Simon** zulke goede zangers geworden? Wat was de grootste radioblunder van **Giel Beelen**? Waarom stopte **Fatima Moreira de Melo** met hockey? En is **Carice van Houten** soms verlegen? Kinderen stuurden vragen in voor hun allergrootste held. Hier lees je de antwoorden.

Waarom ben je begonnen met paardrijden?

Bo Westerdijk (12), Beilen

“Mijn vader was een echte paardenman en mijn broers reden al paard. Er waren dus thuis altijd paarden om ons heen. Ik heb eerst een jaar gepoetst want ik durfde niet meteen op de paarden te rijden. Maar toen ik zes was, durfde ik dat wel. Toen ben ik gaan paardrijden en zo is het allemaal begonnen.”

Wat vind je het minst leuke aan paarden?

Lena Coster (8), Tilburg

“Dat je ooit weer afscheid van ze moet nemen. Voor de rest is alles leuk aan paarden. Het is erg leuk om met ze samen te werken, een band op te bouwen, een hechte vriendschap te hebben waarin je samen met het paard tot een topprestatie komt.”

Hoe word ik net zo'n goede amazone als jij?

Kaylee Lanjouw (9), Veenoord

“Héél hard oefenen en nooit opgeven. Zorg dat je goed les krijgt en leg je doelen niet te hoog. Probeer steeds ietsje beter te worden dan je nu bent. Je moet vooral plezier hebben in het paardrijden. Ik heb nooit als doel gehad om Olympisch Kampioen te worden maar ik wilde wel altijd net een beetje beter worden dan ik op dat moment was. En dat wil ik nog steeds!”

Wat is je grootste radioblunder?

Yannick (12), Marum

“Het klinkt een beetje gemakkelijk maar echt grote radioblunders maak ik weinig. Dat komt omdat ik gewoon mezelf ben op de radio. Ik maak natuurlijk wel fouten. Mensen wijzen me daarop tijdens de uitzending met sms-jes en twitterberichten. Zo kan ik die fouten dus in de uitzending nog herstellen. Misschien was mijn grootste blunder wel toen ik een paar jaar geleden een Nederlandse dame aan de telefoon had. Ze zou gaan trouwen met de drummer van de band The Scorpions. Ik liet wat muziek horen van de band en toen ontstond er verwarring. De muziek was van de verkeerde band. Er bleek nog een band te zijn met de naam Scorpions. Totale verwarring en chaos, maar wel leuk natuurlijk. Ik heb er later hartelijk om gelachen.”

naam: Fatima Moreira de Melo
beroep: oud-hockeyer

Waarom ben je gestopt met hockey?

Sharon van der Heide (11), Rutten

“Ik vind het mooi dat je vraagt waarom ik gestopt ben met hockey. Veel mensen vinden het namelijk heel gewoon dat je op een gegeven moment stopt met topsport. Sommige sporters stoppen op een ‘hoogtepunt’. Bijvoorbeeld na het halen van een Olympische gouden medaille. Eigenlijk heel raar natuurlijk, want je bent goed in wat je doet en toch stop je ermee. Voor mij was het anders. Ik wilde dat niet alles in mijn leven om hockey zou draaien. Ik vond het hockeyen op zich nog wel heel leuk. Maar niet om zoveel tijd te besteden aan trainen. Het voelde of ik een deel van mezelf moest wegcijferen voor het gezamenlijke doel van ons team. Ik wilde eigenlijk gewoon meer vrijheid in mijn leven. In het hockey had ik alles al een keer meegemaakt. Dus was er voor mij geen reden meer om langer door te gaan.”

naam: Thiemo de Bakker
beroep: tennisser

Wanneer merkte je dat je heel veel talent had en ben je echt veel gaan trainen?

Laura Rijkers (11), Veldhoven

“Toen ik ongeveer tien jaar was, merkte ik dat ik veel talent had voor tennis. Ik speelde al een tijdje, vooral jeugdtoernooien in Nederland. Ik zat bij de beste tennissers van het land. Een jaar later werd ik de beste in de categorie tot en met twaalf jaar. Ik was toen heel blij! Toen ik zestien was, begon ik professioneel te tennissen. Dat doe ik nu nog steeds met heel veel plezier!”

Bij welke ploeg zou je willen spelen als je niet bij Vitesse zat?

Romeé (12), Arnhem

“Als ik een club zou mogen kiezen waarvoor ik zou willen spelen, dan is dat Liverpool in Engeland. Dat is altijd mijn favoriete club geweest. Ik ben er zelf ook een keer op bezoek geweest en ik was toen erg onder de indruk. Liverpool heeft een prachtig stadion. De supporters zijn geweldig en erg enthousiast. Dus als ik iets zou mogen kiezen... dan Liverpool.”

Naam: Maarten van der Weijden
Beroep: Oud-zwemmer

Was je nooit bang om opnieuw ziek te worden doordat je heel hard trainde?

Daaf van der Geest (12), Rijpwetering

“Dank je wel voor je vraag. Gezondheid is voor mij het allerbelangrijkste. Daarom heb ik mijn artsen om raad gevraagd toen ik weer ging trainen. Mijn artsen vertelden me dat ik niet weer ziek kon worden door het harde trainen. De deskundigheid van de artsen heeft mij gerust gesteld. Dus ben ik eigenlijk ook nooit meer bang geweest dat ik opnieuw ziek zou worden door het harde trainen.”

Hoe ben je in de mode-wereld terechtgekomen?

Iris Hillebrand (12), Leiden

“Als kind tekende ik altijd prinsesjes. En ik keek op televisie naar de prachtige jurken van de Koninklijke Familie. Toen heb ik me opgegeven voor de kunstacademie om modeontwerp te studeren. Helaas mocht dit niet van mijn ouders. Later ben ik in een kledingwinkel gaan werken als inkoper. In de avonduren heb ik ondertussen cursussen gedaan om alles te weten te komen over stoffen en patronen. Uiteindelijk ben ik mijn eigen zaak begonnen. Zo ben ik toch in de modewereld terechtgekomen.”

Naam: Addy van den Krommenacker
Beroep: Couturier

Naam: Sophie Veldhuizen
Beroep: musicalster

Wat zou je nog een keer in je leven willen doen? En mag je alles eten wat je maar wilt?

Mara Certontain (12), Amsterdam

“Ik zou heel graag willen vliegen. Als *Mary Poppins* maak ik een paar keer per week mee hoe het is om te kunnen vliegen. Als ik aan het eind van de voorstelling over het publiek de ruimte in zweef, is dat echt een magisch gevoel! Zeker in combinatie met de muziek en de belichting voelt het bijna als echt vliegen. Soms kijk ik naar beneden de zaal in en dan zie ik de reacties van het publiek. Sommige mensen zwaaien, anderen kijken verbijsterd. Sommige mensen moeten huilen, anderen durven niet te kijken. Dat is zo'n bijzonder moment. Daarom zou ik dat ook in 'real life' graag een keer kunnen. En dan zonder paraplu, tas en vier lagen kleding aan!

Gelukkig mag ik alles eten en ben ik nergens allergisch voor. Vroeger kreeg ik van chocolade uitslag op mijn benen, maar nu niet meer. Nu eet ik ook nooit chocolade, want dat vind ik niet lekker meer. Maar als kind vond ik dat wel vervelend. Voor een voorstelling eet ik altijd vrij weinig. Het is niet fijn om te zingen met een volle maag. Dat vind ik wel jammer, want ik hou van uitgebreid tafelen. Vaak eet ik na de voorstelling nog wel wat.”

Wat heb je gedaan om succesvol te worden? En wat moest je daarvoor allemaal laten?

Daan Herbert (9), Leiderdorp

“Succes krijg je nooit zomaar. Je moet er hard voor werken. En je moet de juiste mensen om je heen vinden die samen met jou een doel willen bereiken. Want alleen kun je het niet. Ook heb je een beetje geluk en slimheid nodig. Ik vind het jammer dat ik door mijn werk heel veel verjaardagen van vrienden moet missen. Dat komt omdat ik veel in het buitenland ben. Gelukkig begrijpen mijn vrienden het wel, ook al vinden ze het niet leuk. Ik mis ook wel eens een groot feest of een grote voetbalwedstrijd op tv. Maar daar staat tegenover dat ik altijd veel leuke dingen in andere landen meemaak.”

naam: Monique Smit
beroep: zangeres & presentatrice

Heeft je broer je geholpen om beroemd te worden?

Robin Plugge (12), Leiderdorp

“Ik was te zien in de soap van mijn broer Jan Smit. Daardoor ben ik gevraagd voor het zangprogramma *Just The Two of Us*. Daarna begon het echt: ik mocht een eigen single uitbrengen: *Wild*. En al snel daarna mocht ik aan de slag bij de *Kids Top 20*. Ik heb het allereerste begin dus inderdaad te danken aan mijn broer. Maar daarna moet je het toch echt allemaal zelf doen. En dat lukt me goed!”

Welke scènes in GTST vind je het allerleukst om te spelen?

Hendrika Kooistra (13), Oudega

“Eigenlijk vind ik alle scènes leuk om te spelen. Juist de afwisseling van verschillende situaties vind ik het leukst. Het is leuk om mensen aan het lachen te kunnen maken maar ook om mensen te kunnen ontroeren. Soms kun je door acteren mensen aan het denken zetten of ze verrassen met ideeën waar ze nooit over hebben nagedacht. Zo heeft iedere scene iets dat acteren leuk maakt.”

naam: Marly van der Velden
beroep: actrice

Hoe is het om beroemd te zijn? Maud (9), Baarn

“Ik heb helemaal geen moeite met bekend zijn. Het maakt mij gelukkig als ik mensen een plezier doe met mijn muziek. Dat ze mij daardoor ook vaak herkennen op straat kan soms even lastig zijn. Als ik bijvoorbeeld net gezellig met mijn vrienden op een terras zit. Maar het zijn wel mijn fans. Als ze met mij op de foto willen of een handtekening vragen, is dat voor mij een bevestiging dat ze van mijn muziek houden en mij waarderen als artiest. En daar doe ik het tenslotte voor!”

Naam: Thomas Berge
Beroep: Zanger

Naam: Ben Saunders
Beroep: Zanger

Hebben alle tatoeages die je hebt voor jou een betekenis?

Janny Bakker (13), Nij Beets

“De ene tatoeage heeft natuurlijk meer betekenis dan de andere. Zo heb ik de naam van mijn dochtertje Stacey in mijn nek getatoeëerd, wat natuurlijk heel veel voor mij betekent. Kort geleden heb ik ook nog de letter ‘S’ op mijn borst laten zetten. Die S staat voor mijn Superwoman Soraya.”

Hoeveel tatoeages heb je en waarom zoveel?

Sophie den Ouden (11), Akkrum

“Ik heb ontzettend veel tatoeages. Zoveel dat ik op een gegeven moment maar gestopt ben met tellen… Nog steeds komen er nieuwe tatoeages bij. Voorlopig ben ik ook nog niet klaar, denk ik. Waarom ik er zoveel heb? Ik vind het cool en het past goed bij me!”

Wat is de beste manier om net zo goed te worden als jij?

Michelle Vos (12), Siddeburen

“Eigenlijk ben ik toevallig professioneel dressuur-amazone geworden. Ik reed vanaf jonge leeftijd al paard en wilde altijd erg graag beter worden. Ik denk dat dat voor mij het allerbelangrijkste is. Wat je doet, moet je goed doen! Paardrijden was altijd een hobby die ik vooral 's avonds deed nadat ik van mijn werk thuiskwam. Ik stond toen nog voor de klas als lerares Engels op het AOC Terra. In 2008 werd ik geselecteerd voor het Olympisch Kader. Dat was niet meer te combineren met mijn werk. Toen heb ik de keuze gemaakt om volledig voor de paardensport te gaan! Het allerbelangrijkste is dat je zelf beter wilt worden en daar volledig voor gaat! Dus altijd doorzetten, ook als het soms een keertje tegen zit... Want dat hoort erbij en gebeurt natuurlijk bij iedereen. Geloof in wat je doet en denk eraan: alles kan!”

NAAM: Carice van Houten
BEROEP: actrice

Wie was je grootste idool toen je een klein meisje was?

Fiona Wiggers (11), Den Haag

"Ik keek graag naar *De dikke en de Dunne* en *Theo en Thea*."

Ben je in het echte leven ook zo 'knetter' als in de film Knetter?

Iza (12), Zwolle

"Soms ben ik knetter, maar soms ben ik gewoon oersaai hoor."

Hoe kun jij je zo goed verplaatsen in de verschillende rollen die je speelt en ben jij in het echt soms verlegen?

Maura Bo Louwsma (10), Leens

"Ik heb heel veel en nauwkeurig naar mensen gekeken. Daar heb ik veel van geleerd. En ja, soms kan ik ook heel erg verlegen zijn. Ik bloos erg snel en voel me dan verlegen."

Hoe ben je begonnen met acteren?

Fee Zeelenberg (12), Ouddorp

“Ik speelde vroeger samen met mijn zusje toneel. We deden vaak toneelstukjes samen. Ook zongen we tijdens het afwassen verschillende liedjes. Op school ging ik bij een acteerclubje omdat ik acteren al vroeg heel erg leuk vond. Zo is het acteren bij mij begonnen.”

Zou jij net als in de film Minoes ook een kat willen zijn?

Louisa van der Velde (11), Zwolle

“Soms lijkt het me heerlijk om een kat te zijn. Katten zijn lekker eigenwijs en zelfstandig en ze kunnen hun eigen gang gaan. Toch worden ze ook verzorgd en vertroeteld. Misschien vind ik het daarom leuker om gewoon een mens te zijn.”

Naam: Noortje Herlaar
Beroep: musicalster

Wie is de leukste tegenspeler en wat is je grootste blunder met die persoon op het toneel?

Mara Certontain (12), Amsterdam

“Er zijn voor mij meerdere tegenspelers waarmee het leuk is om op het podium te staan. Maar met William Spaaij was het wel heel bijzonder om bijna vijfhonderd keer *Mary Poppins* te spelen. Door dit grote aantal voorstellingen hebben wij samen ook de meeste blunders meegemaakt! Zo is mijn rok twee keer van m’n kont gezakt midden op het toneel. En we hebben een dans ter plekke verzonnen omdat het decor niet opkwam. Zijn leukste zin ooit, toen hij zijn tekst in een lied niet meer wist is: Met roet op je neus, heb je altijd een keus!.”

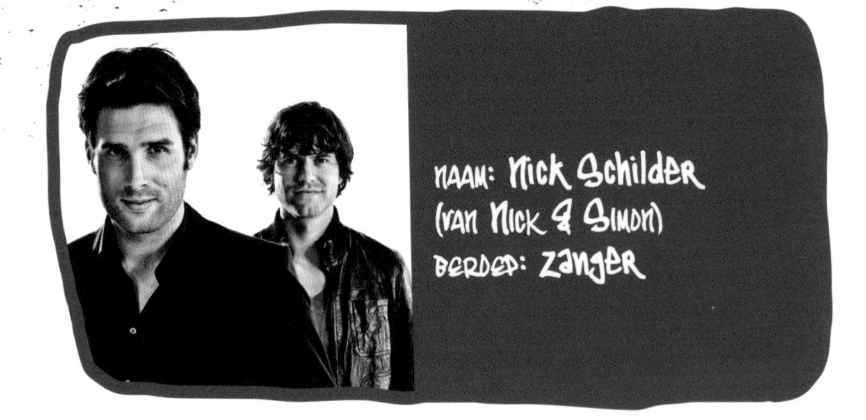

Is het moeilijk om liedjes te schrijven?

Daphne Westerdijk (13), Blaricum

“Ja! Zeker als je elke keer jezelf wilt overtreffen. Aan de andere kant kun je een liedje soms binnen een kwartier schrijven. Als je even heel veel inspiratie hebt, bijvoorbeeld.”

Wat vinden jullie het allerleukst aan zingen?

Nikita Faber (10), Peize

“Je kan heel veel kwijt in zingen. Als je een keer een rotdag hebt, dan kun je dat makkelijk van je af zingen. Met ruzie werkt het ook zo. Dat zingen we gewoon weg!”

Hoe zijn jullie zulke goede zangers geworden?

Lisanne Snip (8), Petten

“Als baby huilde ik vroeger heel veel. Zo heb ik al heel jong mijn stem getraind!”

Hoe zijn jullie zo beroemd geworden? En wat vind je daarvan?

Isa van Rooij (9), Eindhoven

“We zijn beroemd geworden, omdat we heel veel op radio en tv kwamen. Door in al die programma’s te vertellen wie je bent, leren mensen je kennen. Het is leuk als daardoor je muziek bij veel mensen terechtkomt. Soms is beroemd zijn ook niet handig. Als ik haast heb bijvoorbeeld en mensen houden me steeds aan voor een foto of handtekening.”

Bedankt!

Alle kinderen en helden!

Emma Ringelding
[illustraties]

Viktor Beekman
[key visual]

Marije Sietsma
[van alles]

Thijs Hoogeland
[vormgeving]

Reinier Verhoef
[transcriptie]

Deli Klunder
[mailing scholen]

Jobs Kouwenhoven
[meelezen]

Philip Brouwer
[inspiratie]

Maarten Hogenstijn
[workshop]

Marijke Ottema
[hoofdstuk 13]

Nienke Klunder
[mijn lieve held]